まちごとチャイナ
広東省004

広州天河と東山
南天に煌く「七彩摩天楼」
［モノクロノートブック版］

JN122285

華北の北京、華中の上海に対し、広州は中国華南の中心都市として、2000年以上の歴史をもつ。越秀山から北京路、珠江へと続く中軸線を中心とするのが歴史的広州で、明清時代に発展したその西側の西関、沙面とともに対外交易の拠点がおかれてきた。そこでは世界に開かれた開放的な風土が培われ、広州という街の性格を特徴づけていた。

　明清時代、広州東郊外の東山にはほとんど何もなかったが、1911年、香港と広州を結ぶ九広鉄路の駅が大沙頭におかれて以来、広州東部の開発が進んだ。中華民国(1912〜49年)時代、革命家や軍人、官吏が東山に暮らし、海外華僑の

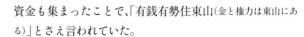

資金も集まったことで、「有銭有勢住東山（金と権力は東山にある）」とさえ言われていた。

　このような歩みのなかで、20世紀末に（資本主義の要素をとり入れる）改革開放が唱えられると、香港に隣接する広東省はその最前線となり、東山のさらに東側の天河地区が広州新市街として整備された。天河には世界中から資金がそそがれ、超高層ビル、現代建築などが姿を現し、珠江ほとりには高さ600mの広州塔もそびえている。また春と秋に行なわれる広州交易会では勝機を求める人たちがこの街に集まり、広州の風物詩としてにぎわいを見せている。

| まちごとチャイナ | 広東省 004 |

広州天河と東山

南天に煌く「七彩摩天楼」

**Asia City Guide Production
Guangdong 004**

New Guangzhou

広州新城／guǎng zhōu xīn chéng／グァンチョウシィンチァアン
廣州新城／gwóng jau¹ san¹ sing⁴／グゥオンジョウサアンシン

「アジア城市（まち）案内」制作委員会
まちごとパブリッシング

Contents

広州と華南

荊門
合肥
南京
江蘇省
蘇州
上海
重慶市
湖北省
宜昌
荊州
武漢
安徽省
黄山
杭州
寧波
浙江省
金華
南昌
長沙
江西省
温州
湖南省
貴州省
武夷山
東海
福建省
福州
贛州
龍岩
台北
桂林
韶関
永定
台中
広西チワン族自治区
広東省
廈門
台湾
臆慶
広州
潮州
台南
南寧
広州と珠江デルタ
深圳
汕頭
高雄
マカオ
香港
海口
海南省
三亜
南海
フィリピン
ベトナム
マニラ
0km
1000km
N

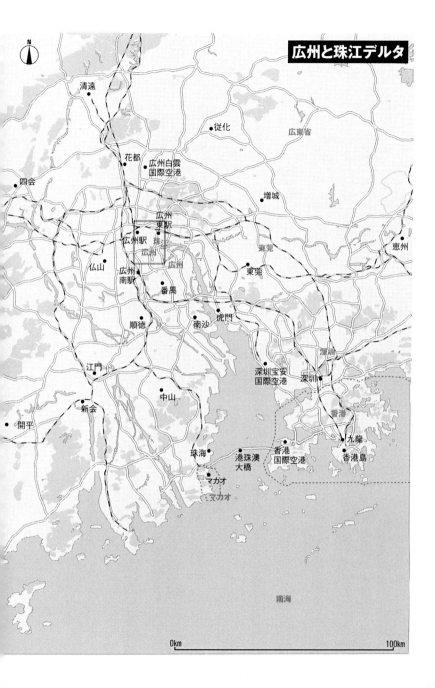

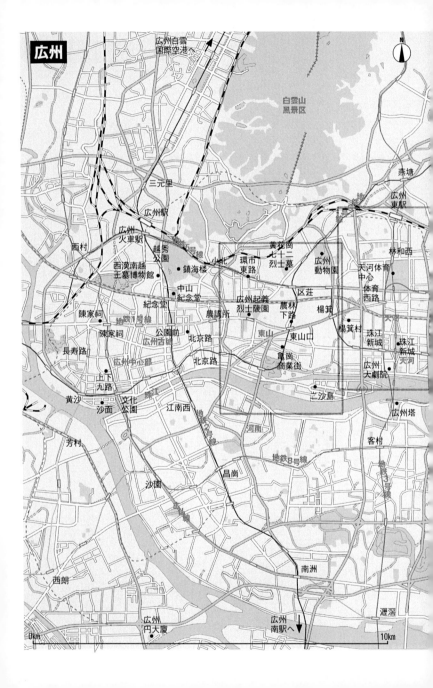

★★★

天河／天河 ティエンハア／ティンホォ

珠江新城／珠江新城 チュウジィアンシンチャン／ジュウゴオンサアンシィン

広州塔 (広州タワー)／广州塔 グゥアンチョウタア／グゥオンジョウタアッ

★★☆

東山／东山 ドォンシャン／ドォンサアン

小北／小北 シィアオベイイ／シィウバッ

環市東路／环市东路 フゥアンシイドォンルウ／ワアンシイドォンロウ

農林下路／农林下路 ノォンリィンシィアルウ／ノォンラムハアロウ

黄花崗七十二烈士墓／黄花岗七十二烈士墓 ファンファガンチィシィアァリエシィムウ／ウォンファアゴォンチャッサッイィリッ
シィモウ

広州動物園／广州动物园 グゥアンチョウドンウウユユエン／グゥオンジョウドォンマッユン

広州大劇院 (広州オペラハウス)／广州大剧院 グゥアンチョウダアジュウユゥエン／グゥオンジョウダアイケッユウン

★☆☆

亀崗商業街／龟岗商业街 グゥイガァンシャンイィエジエ／グァアイゴオンソォンイッガアイ

楊箕村／杨箕村 ヤァンジイツゥン／ヤァンゲエイチゥウン

二沙島／二沙岛 アアシャアダァオ／イイサアドゥウ

広州東駅／广州东站 グゥアンチョウドォンチャアン／グゥオンジョウドォンジャアム

天河体育中心／天河体育中心 ティエンハアティイユウチョンシン／ティンホォタアイヨッジョオンサアム

Introduction
華僑世界から広州へ

1978年より改革開放がはじまった中国
そこで活躍したのは広州ゆかりの華僑や香港人だった
20世紀に二度あった広州拡大の波

東へ、東へ

　広州2000年の歴史は越秀に、500年の歴史は西関に、100年の歴史は東山にあるという言葉は、それぞれ南越国、明清、中華民国と広州の繁栄が変遷していることを物語っている。広州の中心は長らく越秀山南麓の北京路一帯にあったが、明清時代を通じて珠江の碼頭により近い西関(広州古城の西郊外)が繁栄するようになった。そして、1911年の辛亥革命以後の中華民国時代にそれまではほとんど開発されていなかった広州古城の東郊外が注目され、以後、広州市街の発展は東へ、東へと向かった。アヘン戦争(1840〜42年)以後、イギリスの植民地となった香港九龍と広州を結ぶ九広鉄路が1911年に建設され、その広州側の駅が東山の大沙頭におかれた。そして、新しい時代(中華民国)に協力しようと、希望をもった華僑や外国人宣教師たちが、広州東山に集まり、「有銭有勢住東山(金と権力は東山にある)」「東山少爺西関小姐(東山に住む権力者の御曹司と西関に住むお金持ちのお嬢さま)」といった言葉も生まれた(1918年に広州古城の城壁が撤廃され、都市が四周に拡大した)。こうして1920〜30年代の広州は、中国でも屈指の繁栄を見せ、この街の有力者陳済棠(1890〜1954年)は「南天王」と称された。広州東山には、当時の華僑や官吏、軍人の邸宅、近代の遺構が多く残っている。こうしたなか、1978年に鄧

小平による主導で、中国は改革開放へと舵を切り、広東省はその主要舞台となって、香港に隣接する深圳、そして広州では東山のさらに東郊外の天河に新たな街が築かれた。1985年にはじまった天河の開発は急速に進み、現在は広州の政治、経済、金融の中心は東の天河に遷っている。

昔むかしの広州東山と天河

　広州古城の東郊外にあたった東山と天河には、明清時代以前、ほとんど何もなく、20世紀以降に開発されたため、こちらは広州の新市街であると言える。もともと広州は中原や北京から遠く離れた嶺南の僻地とされ、紀元前214年、始皇帝の秦による遠征で中華世界に入ったものの、人口も中原よりはるかにまばらで、言語や文化、習慣の異なる人たちが暮らしていた。こうしたなか、華北(中原)がたびたび異民族の征服を受けるようになると、漢族が南遷して、広州に中華文明がもたらされるとともに、広州郊外にいくつかの集落が築かれた。南宋(1127～1279年)時代から持続する集落は、今でも東山から天河にかけて点在し、楊箕や石牌はその代表格として知られる。これら従来の集落は拡大する広州市街地に飲み込まれ、現在では「城中村(街のなかの村)」と呼ばれている。また東山は、清末民初(20世紀初頭)までは荒れ地に過ぎず、山河村(今の新河浦)、寺右郷(今の寺貝底)、猪屎寮(今の中山医科大学附属一院)に3つの自然村があるばかりだった。こうしたなか、1911年の辛亥革命と同時期に、広州の新市街として東山の開発がはじまり、近代広州の舞台となった市街地(新市街)が残っている。また20世紀末から広州東山のさらに東に、新しい新市街として天河が開発され、こちらは新・新市街とも言える様相を呈している。

広州の市街地化はまず西に、そして東に進んだ

未来都市を思わせる広州天河

天をつくような高さ530mの広州周大福金融中心

東山と天河の構成

　広州古城の東側の「東山」と、さらに東郊外に位置する「天河」は、地続きであるが、街のつくられた時代が異なる。広州古城に隣接する東山は、20世紀初頭、広州の近代化にあわせて国民党や華僑の主導でつくられた。そして、天河は20世紀後半から21世紀初頭にかけての改革開放の流れのなか、香港や華僑、西側諸国の投資を呼び込んで街がつくられた（ともに広州ゆかりの華僑の力が作用していることで共通する）。東山は広州古城東外側に位置し、大東門のすぐ東に隣接する「東皋大道」には華僑や官吏たちの邸宅が残り、「署前路（東山）」「新河浦」には1920〜30年代に華僑たちが建てた邸宅が残る。またその北側の農林下路と農林上路はかつて農業研究地だったが、現在は北京路や上下九路に準ずる広州を代表する商圏をつくっている。そこからさらに北西側（越秀山の東方）には新中国設立後の20世紀後半に開発が進んだ「環市東路」があり、日本領事館の入居する花園酒店や白雲賓館などが位置する。このようなところから、「署前路（東山）」「亀崗商業街」は20世紀前半の老商業区、「環市東路」は20世紀後半の新興商業区と見ることもできる。そして、これらの街なかに黄花崗七十二烈士墓や広州公社烈士墓といった中国革命（辛亥革命）に関する遺構が点在している。天河は、この東山のさらに東郊外につくられ、香港との九広鉄路の発着点である「広州東駅」から南に大規模な街区が広がる。この天河は広州古城同様に、中華伝統の中軸線をもっていて、「広州東駅」を頂部に、そこから南に古い時代に村のあった「天河体育中心」、摩天楼を描く「花城広場」へと続き、「広州国際金融中心（広州西塔）」と「広州周大福金融中心（広州東塔）」がならんでそびえている。そしてこのツインタワーの立つ珠江に面した一帯を「珠江新城」と呼び、「広東省博物館新館」「広州図書館」「広州大劇院」「広州市第二少年宮」といった大型現代建築がずらりとならぶ。そして珠江の対岸には、高さ600mの「広州塔」が天をつくような姿を見せている。

1911年の辛亥革命を指導した孫文もまた華僑だった

旧東山区城市案内

20世紀の広州の開発は
東山を中心に進められた
近代広州の歩みを伝える

東山／东山★★☆

㉝dōng shān ㉺dung¹ saan¹
とうざん／ドンシャン／ドォンサアン

　広州古城の東郊外、廟前直街、署前路、寺貝通津、亀崗あたりを広州東山と呼ぶ。東山という名称は、南漢(909〜971年)時代に仏教寺院が建てられ、とくに明代に繁栄した東山寺(現在はない)からとられている。明清時代の東山は広州大東門外の郊外で、田園や林が広がり、人口は1000人ほどに過ぎなかった。1911年の辛亥革命、同時期の九広鉄路開業もあって、開発余地のある東山の地が注目され、1917年に署前路に行政府がおかれた。そして東山の開発者となったのは第一次世界大戦(1914〜18年)もあって、広州に帰国した華僑、アメリカ人宣教師たちで、1920〜30年代にかけて次々と住宅や別荘、教会、学校が建てられていった。当時の東山は都市(広州)からほどよく離れて、革命活動に便利な場所で、また華僑が集中的に居住する地であったことから、「有銭有勢住東山(東山には金持ちや権力者が住んでいる)」とも言われた。かつては東山区としてひとつの行政単位だったが、2005年、越秀区に編入されて現在にいたる。大沙頭、署前路、亀崗商業街、農林下路あたりが東山の繁華街で、西の広州古城と東の天河を結ぶ地の利をもつ。

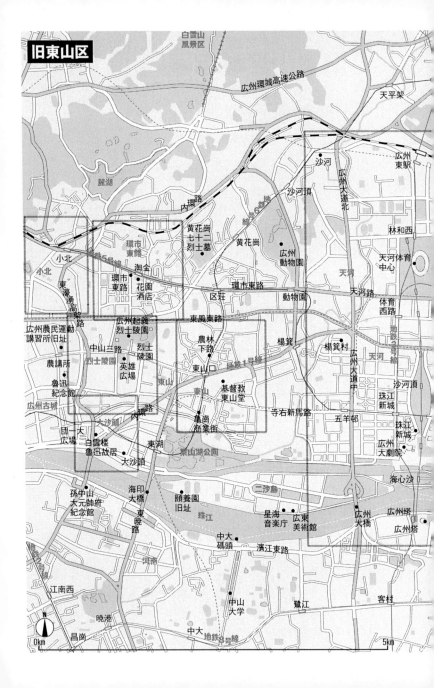

旧東山区

白雲山
風景区

広州環城高速公路

天平架

広州
東駅

沙河

沙河頂

広州大道北

林和西

内環路

黄花崗
七十二
烈士墓

黄花崗

広州
動物園

天河体育
中心

環市東路

小北

小北

環市
東路

淘金

環市
東路

花園
酒店

天河

環市東路

天河路

天河

天河

区荘

動物園

体育
西路

東濠涌高架路

広州起義
烈士陵園

東風東路

楊箕

楊箕村

広州大道中

広州農民運動
講習所旧址

中山三路

烈士
陵園

農林
下路

広州古城

農講所

魯迅
紀念館

烈士陵園

英雄
広場

東山口

揚箕1号線

沙河頂

珠江
新城

珠江
新城

東山

東山

基督教
東山堂

広州
大劇院

内環路

大沙頭

団一大
広場

白雲楼
魯迅故居

東湖

大沙頭

菓崗
商業街

寺右新馬路

五羊邨

海心沙

景山湖公園

孫中山
大元帥府
紀念館

海印
大橋

東暁路

珠江

頤養園
旧址

二沙島

星海
音楽庁

広東
美術館

広州
大橋

広州塔

広州塔

江南西

中大
碼頭

濱江東路

河南

中山
大学

鶏江

客村

晩港

昌崗

中大

地鉄8号線

N

0km

5km

東山を開発した華僑

　中国に祖籍をもって海外に移住した「仮住まい(僑)の中国人(華人)」を華僑と呼ぶ。華僑は、唐宋時代(7〜13世紀)からはじまったと言われ、南海に面した広東省は隣接する福建省とともに、華僑の主力を送り出してきた。華僑は、東南アジア、アメリカ、カナダ、日本など世界各地に移住し、移住先でも広東人は広東語を話す広東人コミュニティ、福建人は

★★★
天河／天河 ティエンハア／ティンホォ
珠江新城／珠江新城 チュウジアンシンチャン／ジュウゴオンサアンシン
広州塔(広州タワー)／广州塔 グゥアンチョウタア／グゥオンジョウタアッ
★★☆
東山／东山 ドンシャン／ドォンサアン
広州起義烈士陵園／广州起义烈士陵园 グゥアンチョウチイイリエシリィンユウエン／グゥオンジョウヘェイイイリッシイリンユン
小北／小北 シァオベェイ／シィウバッ
農林下路／农林下路 ノンリンシィアルウ／ノンラムハアロウ
黄花崗七十二烈士墓／黄花岗七十二烈士墓 フォンファガンチィシィアアリエシィムウ／ウォンファアゴォンチャッサッイイリッシィモウ
広州動物園／广州动物园 グゥアンチョウドンウウユエン／グゥオンジョウドンマッユン
広州大劇院(広州オペラハウス)／广州大剧院 グゥアンチョウダアジュウユゥエン／グゥオンジョウダアイケッユウン
★☆☆
大沙頭／大沙头 ダアシャアトウ／ダアイサアタァゥ
白雲楼魯迅故居／白云楼鲁迅故居 バアイユゥンロォウルウシュングウジュウ／バアクワンロォウロウロウソゥングウゴォイ
英雄広場／英雄广场 インシィオングゥアンチャン／イインホォングゥオンチャアン
中山路／中山路 チョンシャンルウ／ジョオンサアンロウ
環市東路／环市东路 フゥアンシイドォンルウ／ワアンシイドォンロウ
花園酒店／花园酒店 フゥアユゥエンジィウディエン／ファアユンザオディム
東風東路／东风东路 ドォンフェンドォンルウ／ドォンフォンドォンロウ
寺右新馬路／寺右新马路 スウヨゥウシンマアルウ／ジャゥヤゥサンマアロゥ
基督教東山堂／基督教东山堂 ジイドゥウジィアオドォンシャンタァン／ゲエイドッガアオドォンサアントン
東山湖／东山湖 ドォンシャンフウ／ドォンサアンウゥ
沙河／沙河 シャアハア／サアホォ
楊箕村／杨箕村 ヤァンジイツゥン／ヤァンゲエイチュウン
二沙島／二沙岛 アアシャアダァオ／イイサアドゥウ
頤養園旧址／颐养园旧址 イイユァンユゥエンジィウチイ／イィヤァンユンガオジイ
広東美術館／广东美术馆 グゥアンドォンメイシュウグゥアン／グゥオンドォンメイサァオッグゥン
星海音楽庁／星海音乐厅 シィンハアイインユゥエティン／シンホオイヤアムンゴッテェン
広州東駅／广州东站 グゥアンチョウドォンチャアン／グゥオンジョウドォンジャアム
天河路／天河路 ティエンハアルウ／ティンホォロウ
天河体育中心／天河体育中心 ティエンハアティイユウチョンシン／ティンホォタアイヨッジョオンサアム
海心沙／海心沙 ハァイシィンシャア／ホオイサアムサア

福建語を話す福建人コミュニティというように強く連帯していた。とくにアヘン戦争(1840～42年)で中国の港が開港されると、華僑はアメリカのサトウキビ畑や農園、鉱山での採掘、鉄道の敷設労働者として重宝され、過酷な労働条件から「苦力(クーリー)」とも呼ばれた。そのうちに移住先で成功する華僑も現れ、自らの故郷に凱旋して、教育や経済面で地元に貢献する者も多かった(『落葉帰根』)。1911年の辛亥革命にあたって、広州や広東省が清朝打倒の中心となったこと、国民政府が広州におかれたこと、広東省が華僑を多く輩出していたことなどから、20世紀初頭、祖国のためにと、多くの華僑が広州に戻ってきた。東山は華僑がつくった街とも言われるように、アメリカ、カナダ、インドネシア、マレーシア、シンガポール華僑(珠江西岸の四邑、とくに台山に戸籍をもつ者が多かった)らが、道路や家、学校、病院などをつくり、この地に投資していった。近代(1920～30年代)、新中国初期(1940～50年代)、改革開放期(1980～2000年代)と、各時代において華僑は広州の発展に寄与することになった。

この地に建てられた宦官の寺

　東山という地名は、広州古城東郊外にあった永泰寺(東山寺)の山号「東山」からとられている。永泰寺は、明成化帝(1464～87年)の寵愛を受けた宦官韋眷(韋公)によって創建され、広州に派遣された韋眷は、海上交易、港の船を管理し、悪徳商人や外国勢力とも結んで莫大な財を築いていた(韋眷は、広州人から反感を買い、その腐敗を地元官吏が告発するほどだった)。一方で、韋眷は去勢した宦官であることから、子孫を残すことができず、代わりに自らの業績を後世に残す手段として、仏教寺院を建設することにした。当時、七星崗と呼ばれたこの地で、4年の月日をかけて1480年に韋眷の寺院は完成した。奥行60m、幅50mほどの規模で、1487年に成化帝から「永泰禅寺」の名前を授けられ、宦官(太監)の建てた寺院であった

ため、太監寺とも呼ばれた。永泰寺は清代の1650年に重修されたとき、前殿を真武廟とし、東山廟と通称されたが、この東山廟がのちに東山寺と呼ばれて、地区の名称へと受け継がれた。

革命史跡の残る街

　清朝(1616～1912年) 末期、皇帝の暮らす北京から遠く離れた広州は、革命の拠点となっていて、封建制打倒をかかげる革命派がたびたび武装蜂起を行なっている。その時期が、東山の開発時期に重なっていたため、広州東山には中国近代史を彩る史跡が多く残り、それらは大きく国民党(のちに国共内戦に敗れ、台湾へ逃れた) に由来するもの、共産党(国共内戦に勝利して1949年、中華人民共和国を樹立) に由来するものにわけられる。たとえば、「黄花崗七十二烈士墓」には、1911年の辛亥革命前の10回におよぶ孫文らの蜂起のなかでもっとも犠牲者を出した黄花崗事件の犠牲者がほうむられている。また武将蜂起(辛亥革命)への広東省の支持は「広東諮議局(広州近代史博物館)」で決まり、現在はその地が「広州起義烈士陵園」となっている。「革命未だならず」という言葉を孫文が残しているように、1911年の辛亥革命後も北京には強力な軍閥がいて、軍閥打倒(北伐)のために広州で1924年に国共合作が行なわれた。そして、陳独秀、毛沢東、周恩来らの中国共産党の指導者も、東山を拠点としたことから、「中共三大会址紀念館」も見られる。

ドラゴンボートこと龍船、これも広州の名物

広州市街を網のようにめぐらされたメトロ

華僑としてアメリカに渡り、そして故郷に戻ってきた孫文

ネオンで彩られた夜景が見られる珠江夜遊

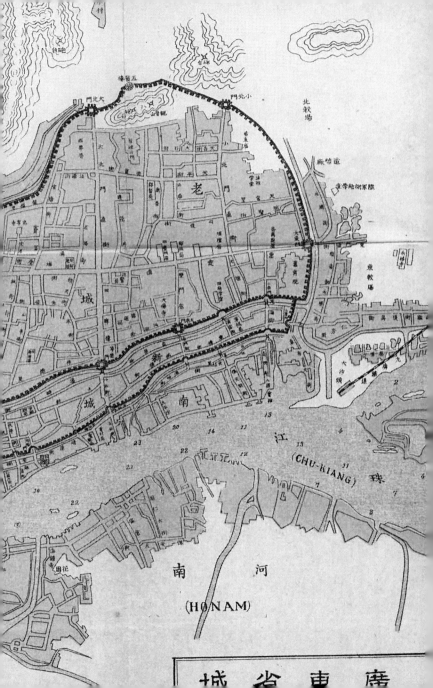

廣東省城

Da Sha Tou

大沙頭城市案内

**かつては珠江に浮かぶ島だったが
1911年の九広鉄路の開通で
急速に発展をとげた大沙頭**

大沙頭／大沙头 ★☆☆
⓱dà shā tóu ⓹daai³ sa¹ tau⁴
だいさとう／ダアシャアトォウ／ダアイサアタァゥ

　広州古城の南東外側、珠江に面した碼頭をもつウォーターフロントの大沙頭。ここは明清時代までは珠江に浮かぶ砂州(島)で、多くの漁民が大沙頭に暮らしていた。明代、その島のうえに海印閣があり、清代にはここに東定砲台、もしくは東水砲台、東砲台と呼ばれる砲台がおかれていた(海珠石と、浮印石とならぶ羊城三石のひとつ海印石がかつて大沙頭にあった)。河川が運ぶ土砂が堆積することで、大沙頭は徐々に陸地とつながり、清朝末期の1871年以降、東濠涌河口に長い堤防が築かれて埋め立てが進んだ。1911年の九広鉄路建設もあってあたりの土地整備、陸地との一体化が進み、大沙頭駅(1951年に広州駅に改称)の完成とともに、碼頭もつくられ、茶楼、海水浴場がならんだ。そして、広州大沙頭碼頭と上海、厦門、中山、江門などと結ばれた海路の便が往来していた。このように東山開発の先がけとなった大沙頭も、現在は大沙頭駅も撤去され、魯迅や近代広州の歩みを伝える遺構が残っている。

大沙頭

大寨門 大道
東皋 大道
東大 平押
東皋大道
広州古城 越秀中路
広州起義烈士陵園
烈士陵園
烈士陵園
英雄広場
較場西路
中山医科大学
中山二路
中山医学院校本部
地鉄1号線
広東省人民体育場
東川路
魯迅紀念館
東濠涌高架路
小東門橋
東華西路
東華東路
築渓西街
内環路
海月東街后
魯迅紀念園
東山
団一大旧址
団一大広場
広九大馬路
雲台
路
永勝上沙
東華南路
東湖路
白雲楼魯迅故居
大沙頭二馬路
東湖西路
広九鉄路紀念園
大沙頭
大沙頭
大沙頭三馬路
地鉄6号線
東湖
東山湖公園
沿江東路
大沙頭路
大沙頭客運站
江湾橋
林則徐紀念園
珠江
孫中山大元帥府紀念館
海印大橋
二沙島
二沙島

0km   1km

N

広九鉄路紀念園／广九铁路纪念园★☆☆

⑭guǎng jiǔ tiě lù jì niàn yuán／⑭gwóng gáu tit² lou³ géi nim³ yun⁴

こうきゅうてつろきねんえん／グゥアンジィウティエルウジイニィエンユウエン／グゥオンガアウティッロウゲエイニムユン

　　香港九龍と広州を結ぶ鉄道の九広鉄路（中国では広九鉄路と広州を先にして呼ぶ）の、広州側の大沙頭駅があった近くに残る広九鉄路紀念園。1898年、イギリスが清朝から鉄道敷設の権利を獲得すると、1907年から広州・九龍鉄道の建設がはじまり、1911年に完成した。広州古城東外側の大沙頭駅は、ちょうど白雲路と広九大馬路の交わる位置にあり、広州屈指の交通の要衝だった。大沙頭駅は1951年に広州駅と改称され、その後、1974年により利便性の高い現在の広州駅が開業すると広州東駅となり、旅客輸送を停止した。1984年に大沙頭と天河のあいだの線路も撤去され、広州東駅も正式に天河に遷った。こうして九広鉄路の大沙頭駅は役割を終えたが、旧駅の近くに広九鉄路紀念園が整備され、蒸気機関車の「建設6501」が展示されている。

大沙頭城市案内

★★☆

東山／东山 ドンシャン／ドンサアン

東皋大道／东皋大道 ドンガオダアダァオ／ドンゴォウダアイドウ

広州起義烈士陵園／广州起义烈士陵园 グゥアンチョウチイイリエシィリィンユウエン／グゥオンジョウヘェイイイリッシイリンユン

★☆☆

大沙頭／大沙头 ダアシャアトウ／ダアイサアタァウ

広九鉄路紀念園／广九铁路纪念园 グゥアンジィウティエルウジイニィエンユウエン／グゥオンガアウティッロウゲエイニムユン

白雲楼魯迅故居／白云楼鲁迅故居 バアイユゥンロォウルウシュングウジュウ／バアクワンロォウロウソングウゴォイ

魯迅紀念園／鲁迅纪念园 ルウシュンジイニィエンユウエン／ロウソゥンゲエイニムユン

林則徐紀念園／林则徐纪念园 リィンゼェシュウジイニィエンユウエン／ラムジャッチョイゲエイニムユン

小東門橋／小东门桥 シャオドォンメンチィアオ／シゥドォンムンキィゥ

英雄広場／英雄广场 イィンシィオングゥアンチァァン／イインホォングゥオンチャアン

広東省人民体育場／广东省人民体育场 グゥアンドォンシェンレンミィンティイユウチャアン／グゥオンドォンサアンヤンマンタアイユッチャアン

中山医科大学／中山医科大学 チョンシャンイイカアダアシゥウエ／ジョオンサアンイイフォオダアイホッ

中山医学院校本部／中山医学院校本部 チョンシャンイイシュエユゥエンジイアオベェンブウ／ジョオンサアンイイホッユゥンハアウブウンボウ

中山路／中山路 チョンシャンルウ／ジョオンサアンロウ

二沙島／二沙岛 アアシャアダァオ／イイサアドォウ

東山湖／东山湖 ドンシャンフウ／ドンサアンウゥ

白雲楼魯迅故居／白云楼鲁迅故居 ★☆☆

北bái yún lóu lǔ xùn gù jū　広baak³ wan⁴ lau⁶ lou, seun² gu² geui¹

はくうんろうろじんこきょ／バアイユゥンロォウルゥシュングゥジュウ／バアクワンロォウロウソゥングゥゴォイ

　1927年3月29日〜9月27日、国民革命の根拠地であった当時の広州で、作家魯迅(1881〜1936年)が暮らした白雲楼魯迅故居。厦門から広州にやってきた魯迅は当初、中山大学鐘楼に暮らしていたが、やがて監視や人の目を避けるために、広州古城に隣接するこの地に遷った(魯迅の広州滞在時、合作した国共にも分裂が生じていた)。白雲山を北に望む白雲楼は1924年創建、幅93m、奥行28mの3階建て、黄色の外観をもつ西欧式建築で、八角形のドームを見せる(1970年に1階分追加されて4階建てになった)。魯迅は中山大学で、「文芸論」「中国小説史」「中国文学史」の3つの講座を担当したほか、ここ白雲楼魯迅故居で『朝花夕拾』『野草』などを執筆した。やがて妻の許広平とともに広州を離れ、上海へ向かった魯迅がこの故居を去ると、白雲楼は郵便局員の暮らす宿舎となった。

魯迅紀念園／鲁迅纪念园 ★☆☆

北lǔ xùn jì niàn yuán　広lou, seun² géi nim³ yun⁴

ろじんきねんえん／ルウシュンジイニィエンユゥエン／ロウソゥンゲエイニムユン

　白雲路の東側の突きあたりに位置する魯迅紀念園。近代中国を代表する文豪の魯迅(1881〜1936年)が近くの白雲楼で暮らしていたことに由来し、2001年に整備された。公園内には魯迅の胸像や、魯迅が白雲楼で書いた『老調子已経唱完』の文言が見える。

林則徐紀念園／林则徐纪念园 ★☆☆

北lín zé xú jì niàn yuán　広lam⁴ jak¹ cheui⁴ géi nim³ yun⁴

りんそくじょきねんえん／リィンゼエシュウジイニィエンユゥエン／ラムジャッチョイゲエイニムユン

　かつて大沙頭にあった海印石から名前のとられた海印大橋すぐそばに位置する林則徐紀念園。広州を舞台としたアヘン戦争時にイギリスに毅然とした態度で向かった林則徐

アヘン戦争時に活躍した林則徐

昔の大沙頭『水上の民家(広東大沙頭)』(京都大学附属図書館所蔵)部分より

魯迅は中山大学鐘楼に暮らし、その後白雲楼へ遷った

紹興から北京、厦門、広州、上海へ、魯迅の歩み

(1785～1850年)の名前がつけられている。明清時代、このあたりは珠江の流れのなかにあったが、20世紀以後に埋めたてが進んだ。東山湖公園南広場、海印橋東側の緑地、林則徐記念公園という3つの緑地が続く。海印大橋は1986年にかけられ、対岸には孫文の「大元帥府広場」が残っている。

小東門橋／小东门桥★☆☆
㉠xiǎo dōng mén qiáo ㉡síu dung¹ mun⁴ kiu⁴
しょうとうもんばし／シャオドンメンチィアオ／シィゥドォンムンキィゥ

　白雲山に流れを発し、広州古城の東を通って珠江に入る東濠涌。小東門橋は1936年創建で、長さ9.8m、幅10.5mの石橋のたたずまいを今に伝える。広州古城の大東門に対して小東門と呼ぶのは、広州古城南のこの場所に明代、新城がつくられ、その8つの門のうち東側の門を小東門と呼んだことに由来する。

『広東蜑民船』(京都大学附属図書館所蔵)部分

Dong Gao Da Dao
東皋大道城市案内

**広州有数のにぎわいを見せていた広州古城大東門
そのすぐ外側の東関に東皋大道は位置する
中華民国時代の有力者たちが暮らした街並み**

東皋大道／东皋大道★★☆

北dōng gāo dà dào 広dung¹ gou¹ daai³ dou³
とうこうだいどう／ドォンガオダアダァオ／ドォンゴゥダアイドゥ

　皋園や増園といった中華民国(1912〜49年)時代の官邸や別墅が残る東皋大道。もともと広州古城大東門の外側のこの地には、明末の御史、陳子履の園林があった。そこは当時、広州四大園林のひとつとされ、のちに東皋詩社と呼ばれて、文人たちに愛されていた。辛亥革命(1911年)後の1920〜30年代、東山の開発が進むと、広州古城にも近い東皋大道界隈に政治家や官僚、軍人、華僑らが邸宅を構えるようになった。中山三路から東皋大道が北側に伸び、その西側に仁興街、義興街、礼興街、智興街、信興街、東側に一横路、二横路、三横路が続く。あたりには約40の歴史的建造物が保護されていて、赤レンガの外壁やベランダをもつ西欧と嶺南様式が融合した当時の建築様式をよく伝えている。あたりには高さ制限があって、6階建て以上の建物は建設することはできないという。

皋園／皋园★☆☆

北gāo yuán 広gou¹ yun⁴
こうえん／ガァオユゥエン／ゴゥユン

　20世紀初頭(中華民国時代)に建てられた東皋大道を代表す

東皋大道

N

東風東路

豪賢路

三横路

一横路

越秀北路

東皋大道

芳草街

広東省農民
協会旧址

智興街

一横路

東濠涌
博物館

北横街

広州古城

礼興街

東皋
大道

皋園

広州農民運動
講習所旧址

義興街

仁興街

広州起義
烈士陵園

大東門

地鉄1号線

中山三路

中山四路

農講所

東平
大押

越秀中路

東濠涌高架路

栄華街

東昌南街

東山

広東貢院
明遠楼

広東省立
中山図書館

国民党
一大旧址

広州魯迅
紀念館

広州魯迅
紀念館

東関訊

文明路

0m

500m

る邸宅の皋園。赤レンガと白の柱の外観が印象的な西欧建築で、花園をそなえる。

広東省農民協会旧址／广东省农民协会旧址★☆☆

⑪guǎng dōng shěng nóng mín xié huì jiù zhǐ　⑪gwóng dung¹ sáang nung⁴ man⁴ hip² wui³ gau³ ji
かんとんしょうのうみんきょうかいきゅうし／グゥアンドォンシェンノォンミンシィエフゥイジィウチイ／グゥオンドォンサアンヌゥンマンヒッウイガオジイ

　　孫文を中心に、国民党と共産党による1924年の国共合作があり、それを受けて、翌1925年に広東省農民協会が設立された。広州古城の国民党一大旧址で決まった第一次国共合作では、農民や労働者を重視する路線が確認され、広東省農民協会旧址はその活動拠点となった。広東省第一次農民代表大会がここで行なわれ、毛沢東、周恩来などが革命活動に従事し、毛沢東は第五農民講堂で農民運動の理論を教えた。この建築は、陳氏の私邸を前身とする20世紀初頭のもので、幅31m、奥行24.3m、高さ10m、印象深いファサードの列柱とバルコニーをもつ。

広州古城北の頂点に立つ鎮海楼、この東麓に小北門が位置した

多くのアフリカ人が行き交う小北

Lie Shi Ling Yuan
烈士陵園城市案内

広州古城大東門外は東関と呼ばれたエリア
軍の閲兵を行なう東較場がおかれた場所でもあり
中国革命や近代広州ゆかりの遺構が残る

広州起義烈士陵園／广州起义烈士陵园 ★★☆

北guǎng zhōu qǐ yi liè shì líng yuán　広gwóng jau¹ héi yí³ lit³ si³ líng⁴ yun⁴
こうしゅうきぎれっしりょうえん／グゥアンチョウチィイリエシィリィンユゥエン／グゥオンジョウヘェイイイリッシイリンユン

　20世紀初頭に広州で武装蜂起し、処刑された共産党員た
ちが眠る広州起義烈士陵園。1911年の辛亥革命を受けて清
朝が滅亡すると、中国各地に軍閥がならび立ち、広州は革命
の根拠地となっていた(当時、国民党と共産党の双方が広州に拠点
をおいていた)。1927年、国民党の広東派と広西派が対立する
混乱のなか、共産党は武装蜂起し、広州ソビエト政府を成立
させたが、わずか3日で国民党に鎮圧された。この事件は広
州起義と呼ばれ、処刑された人をはじめ5000人以上が犠牲
になったと言われる。1954年、その刑場跡を広州起義烈士
陵園として整備することが決まり、1957年に完成した。正
面の「広州起義烈士陵園」の文字は周恩来、「広州公社烈士之
墓」の文字は朱徳によるもので、高さ45mの記念碑が立って
いる。アヘン戦争(1840〜42年)以後の中国近代史の展示が見
られる広東革命歴史博物館が位置するほか、ここは羊城八
景「紅陵旭日」にあげられる景勝地でもある。

烈士陵園

環市東路
淘金
花園酒店
淘金路
地鉄5号線
華楽路
建設三馬路
建設六馬路
黄華路
建設大馬路
青龍坊
建設横馬路
東濠涌高架路
先烈南路
東風東路
伍漢持墓
東皐大道
紀念碑
広州起義烈士陵園
広東省農民協会旧址
越秀北路
広東革命歴史博物館
烈士陵園
血祭軒轅亭
東濠涌博物館
広州農民運動講習所旧址
東皐大道
広州起義烈士陵園
烈士陵園拡大
大東門
地鉄1号線
中山医科大学
中山四路
中山三路
東平大押
中山一路
農講所
烈士陵園
栄華街
英雄広場
東川路
越秀中路
広州古城
東昌南街
較場西路
国民党一大旧址
東関訊
広東省人民体育場
広州魯迅紀念館
文明路
広州魯迅紀念館
東華西路
東華東路
東山
小東門橋
築渓西街
魯迅紀念園
内環路
海月東街后
団一大旧址
白雲路
N
団一大広場
0km
1km

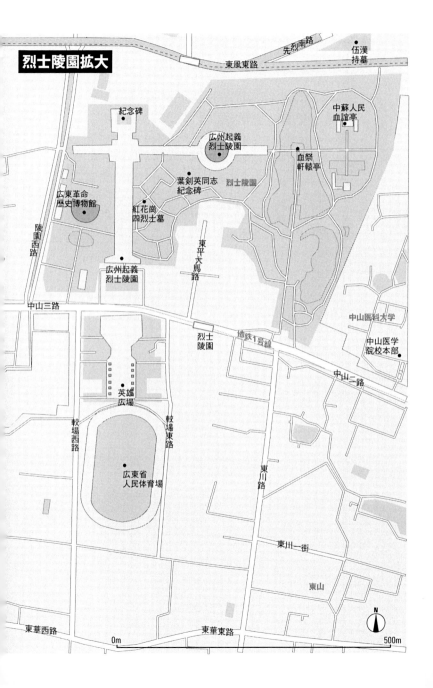

烈士陵園拡大

伍漢
持墓

先烈南路

東風東路

紀念碑

中蘇人民
血誼亭

広州起義
烈士陵園

血祭
軒轅亭

烈士陵園

葉剣英同志
紀念碑

広東革命
歴史博物館

陵園
西路

紅花崗
四烈士墓

東平大馬路

広州起義
烈士陵園

中山三路

中山医科大学

烈士
陵園

地鉄1号線

中山医学
院校本部

中山二路

英雄
広場

較場西路

較場東路

東川路

広東省
人民体育場

東川一街

東山

東華西路

0m

東華東路

N

500m

広州起義烈士陵園の構成

　中山路をはさんで南の英雄広場からまっすぐ北に向かって通路が伸び、その先に広州起義烈士陵園の紀念碑が立つ。その軸線上の西側に、「広東革命歴史博物館(広東諮議局旧址)」が位置する。通路の先には高さ45m、3つの石が組みあわされ、それを起義者が手でつかむ大胆なデザインの「紀念碑」が立つ。その東側には高さ10m、直径48mの円形墳丘墓「広州起義烈士陵園」、そしてそのさらに東側の湖上に、広州起義烈士の周文雍、陳鉄軍烈士を記念した高さ4.2m、幅10.6mの「血祭軒轅亭(湖心亭)」が残っている。また近くにはこの起義のときに殺害された、旧ソ連駐広州の副領事と領事館員をしのぶ幅14.6m、奥行6.6mの「中蘇人民血誼亭」が位置するほか、広州コミューンに参加した葉剣英同志紀念碑や紅花崗四烈士墓なども見られる。

広州古城大東門あたりの様子

1920〜30年代の広州は中国屈指の繁栄をしていた

広州市街を東西につらぬく東風路

ソビエト政府を樹立し、そして生命を落とした人が眠る烈士陵園

広東革命歴史博物館(広東諮議局旧址)／广东咨议局旧址★☆☆

北guǎng dōng zǐ yì jú jiù zhǐ　広gwóng dung¹ ji¹ yi, guk³ gau³ ji

かんとんかくめいれきしはくぶつかん(かんとんしぎきょくきゅうし)／グゥオンドォンジイイィグッガオジイ／グゥオンドォンジイイィグッガオジイ

　清朝末期の1909年に建てられた広東諮議局を前身とする広東革命歴史博物館(広東諮議局旧址)。当時、近代化に遅れた清朝は、西欧の議会制をまねて中国各地に地方議会を整備し、それを諮議局といった。1911年の武昌蜂起のあと、広東の有力者が広東諮議局に集まり、1911年12月、ここで清朝からの広東独立を宣言した。1921年には孫文がこの地で臨時大統領に就任し、国共合作後の1925～26年、国民党中央党部がおかれた経緯もある。主楼はローマ式の8本の柱が見え、西欧と中国の建築様式を融合させた近代建築となっている。1959年、広東革命歴史博物館として開館した。

英雄広場／英雄广场★☆☆

北yīng xióng guǎng chǎng　広yīng¹ hung⁴ gwóng cheung⁴

えいゆうひろば／インシィオングゥアンチァアン／インホォンゥオンチァアン

　中山路に面し、巨大なショッピングモールがあたりにならんで一大商圏をつくる英雄広場。英雄広場とその南側にある一帯は、明代の1454年、総督馬昂によって演舞場がおかれていた場所で、清代の1683年に東較場となり、ここで軍事訓練が行なわれた。アヘン戦争(1840～42年)時の1839年には、林則徐が虎門でアヘンを処分したあと、東較場で軍の閲兵を行ない、1926年、北伐の宣誓式がここで行なわれて5万人が参加した。このように広州の軍事行事と強い関係をもち、北側に広州起義烈士陵園が位置するこの地は、広州の英雄ゆかりの場であることから、英雄広場として整備された。

広東省人民体育場／广东省人民体育场★☆☆

北guǎng dōng shěng rén mín tǐ yù chǎng　広gwóng dung¹ sáang yan² man⁴ tái yuk³ cheung⁴

かんとんしょうじんみんたいいくじょう／グゥアンドォンシェンレェンミィンティイユウチァアン／グゥオンドォンサアンヤンヤンマンタアイユゥチァアン

　さまざまなスポーツやイベントが行なわれる広東省人民

体育場。ここは清代、東較場といって軍の閲兵のための巨大な空き地だったところで、現在でも較場西路、較場東路という通り名が残っている。清末の1904年に広東大運動会が構想されたとき、この空き地が会場の第一候補となった。現在の姿となったのは1932年のことで、その後、何度も改修されている。1926年、孫文の意思を受け継いで北京の軍閥を打倒するための、北伐の出発記念セレモニーが行なわれたのもここで、現在は北伐宣師大会遺址としても知られている。

中山医科大学／中山医科大学★☆☆
北zhōng shān yī kē dà xué 広jung¹ saan¹ yi¹ fo¹ daai³ hok³
ちゅうざんいかだいがく／チョンシャンイイカアダアシュゥエ／ジョオンサアンイイフオオダアイホッ

　広州を活動拠点とした孫文(1866～1925年)こと孫中山の名前を冠した医学系の中山医科大学。1866年の創建で、孫文の学んだ博済医院を前身とし、当時は珠江に面した長堤大馬路にあった。孫文による大学整備もあってのちに中山大学となり、広州キャンパス、珠海キャンパス、深圳キャンパスとあるうち、この中山医科大学は広州北キャンパス(北校園)として知られる。入口には柱廊の前に孫文の若き日の孫文像(孫中山銅像)が立つ。

中山医学院校本部／中山医学院校本部★☆☆
北zhōng shān yī xué yuàn jiào běn bù 広jung¹ saan¹ yi¹ hok³ yún haau³ bún bou³
ちゅうざんいがくいんこうほんぶ／チョンシャンイイシュエユウエンジィアオベェンブウ／ジョオンサアンイイホッユゥンハアウブウンボウ

　孫文像の背後にそびえる幅93.5m、奥行き61.5mの堂々とした中山医学院校本部。1916～18年に建てられた近代建築で、赤の外壁、3層からなり、切妻屋根をもつ中央の両横に西欧の城のような円形塔がそびえる。この中央部から両翼が東西に広がっている。

伍漢持墓／伍汉持墓 ★☆☆

㊩wǔ hàn chí mù ㊐ng, hon² chí⁴ mou³
ごかんじはか／ウウハァンチイムウ／ンンホォンチィモウ

中山大学に隣接して残る医学者の伍漢持墓。伍漢持は清末の1872年、広東新寧(今の台山)に生まれ、仏山でイギリス人の医者に学んだ。1911年4月27日の黄花崗事件が失敗に終わったあと、彼は自分の住居に負傷した革命家たちをかくまって治療し、その後、家族とともに香港に避難した(辛亥革命後の1913年、伍漢持は袁世凱一派に拉致され、生命を落とした)。伍漢持墓は、何度か遷っているが、1970年代の東風路の整備以降、現在の場所にある。

Xiao Bei Lu

小北路城市案内

広州古城の越秀山鎮海楼を中心に
西に大北門、東に小北門があった
小北の名前は後者よりとられている

小北／小北★★☆
㊗xiǎo běi ㊙síu bak¹
しょうほく／シィアオベェイ／シィウバッ

　小北という地名は、明清時代の広州古城の北東にあった小北門に由来する。小北門を境に広州城内は北京路に向かって伸びる小北直街、城外は広州随一の景勝地である白雲山に続く登峰路という要衝であった。明代、広州古城の中心からは少し離れ、白雲山へも近いここ小北に、学者の黄畿、黄佐父子が私家園林の北園（粵洲書院の一部分）を築くと、学者や文人が次々に小北に集まってきた。そして小北の文化は大いに栄え、近くには、洪橋街、丹桂里、天香街、歩蟾坊といった古い街並みが残っている。また小北は白雲山から流れてくる渓流が最初に着く場所（「第一水」）でもあり、降雨量が多いときにはあたりが水浸しになることもめずらしくなかった（この流れにあわせて道は走り、東濠涌から珠江へと水路は続いた）。小北門の外側は野菜畑が広がっていて、その農産物のおいしさも知られていて、中国の都市に必ずあった東岳府君廟も、小北門外にあった。1927年にあたりの整備も進んで、現在では多くのアフリカ人が集まって暮らす場所でもある。広州はアジア最大のアフリカ人集住地域の中心的存在であり、小北では黒人が行き交う姿を目のあたりにできる。

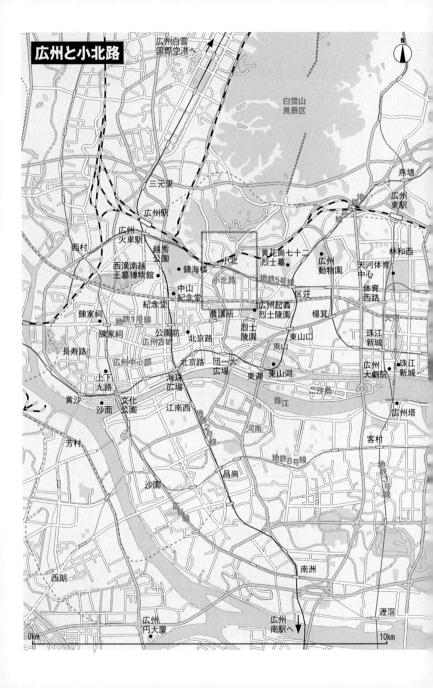

小北路

広州芸術
博物院

旧広州
電視塔

童心路
宝漢直街
内環路
恒安路

鐘景路

麓湖路

環市東路
小北　小北
地鉄5号線

越秀公園
小北
北
校場
路
路

北校場横路

環市
東路

小北
城門
北園
酒家

建設大馬路

小北門
越秀北路

応元路
小北路

黄華路

洪橋街
天香街
丹桂里
広州古城

東濠涌高架路

法政路

東風中路
東風東路

豪賢路

小東営
清真寺
越華路

東皋大道

倉辺路
徳政北路
越秀北路

越秀北路
東濠涌
博物館

広東省農民
協会旧址

東
皋
大
道

広東
財政庁旧址

広州農民運動
講習所旧址

大東門

忠佑大街
城隍廟

中山四路

中山三路

南越国宮
署遺跡

越秀
中路

北京路
中山五路
地鉄1号線
農講所
東平
大押

0km　　　　　　　　　　　　　　　1km

宝漢直街／宝汉直街 ★☆☆

⊕bǎo hàn zhí jiē　⑤bóu hon² jik³ gaai¹

ほうかんちょくがい／バァオハァンチイジィエ／ボォウホォンジッガアイ

　　小北中心部から北に向かって伸びる細い通りの宝漢直街。広州に暮らすアフリカ人が集まっていて、黒人が往来し、スワヒリ語が飛び交う「リトル・アフリカ」とも言える景観をつくっている。20世紀末からアフリカ系の商人が広州に多く居住するようになり、低価格の中国家電や携帯電話、衣服を買いつけてアフリカ諸国に輸出するといった商売をしている。中国政府のアフリカを重視する政策が、アフリカ人の往来を容易にしたという。

★★★

天河／天河 ティエンハア／ティンホォ

珠江新城／珠江新城 チュウジィアンシンチャン／ジュウゴオンサアンシン

広州塔 (広州タワー)／广州塔 グゥアンチョウタア／グゥオンジョウタアッ

★★☆

小北／小北 シィアオベェイ／シィウバッ

東山／东山 ドォンシャン／ドォンサアン

東皋大道／东皋大道 ドォンガオダアダァオ／ドォンゴォウダアイドォウ

広州起義烈士陵園／广州起义烈士陵园 グゥアンチョウチィイリエシィリィンユゥエン／グゥオンジョウヘェイイイリッシイリユン

黄花崗七十二烈士墓／黄花岗七十二烈士墓 ファンファガンチィシィアァリエシィムウ／ウォンファアゴォンチャッサッツイリッシィモウ

広州動物園／广州动物园 グゥアンチョウドォンウウユゥエン／グゥオンジョウドォンマッユン

広州大劇院 (広州オペラハウス)／广州大剧院 グゥアンチョウダアジュウユゥエン／グゥオンジョウダアイケッユウン

★☆☆

宝漢直街／宝汉直街 バァオハァンチイジィエ／ボォウホォンジッガアイ

小北城門／小北城门 シィアオベェイチャンメェン／シィウバッシインムン

北園酒家／北园酒家 ベェイユゥエンジィウジィア／バッユンザオガア

旧広州電視塔／电视塔旧址 ディエンシイタアジィウチイ／ディンシィタアッガウジイ

環市東路／环市东路 フゥアンシイドォンルウ／ワアンシイドォンロウ

広東省農民協会旧址／广东省农民协会旧址 グゥアンドォンシェンノォンミィンシィエフゥイジィウチイ／グゥオンドォンサアンヌゥンマンヒッウイガオジイ

中山路／中山路 チョンシャンルウ／ジョオンサアンロウ

東風東路／东风东路 ドォンフェンドォンルウ／ドォンフォンドォンロウ

東山湖／东山湖 ドォンシャンフウ／ドォンサアンウゥ

広州東駅／广州东站 グゥアンチョウドォンチァアン／グゥオンジョウドォンジャアム

二沙島／二沙岛 アァシャアダァオ／イイサアドォウ

天河体育中心／天河体育中心 ティエンハアティイユウチョンシン／ティンホォタアイヨッジョオンサアム

小北城門／小北城门 ★☆☆

㊗xiǎo běi chéng mén ㊗síu bak¹ sing⁴ mun⁴

しょうほくじょうもん／シィアオベェイチャンメェン／シィウバッシィンムン

　石垣のうえに2層の楼閣を載せる小北城門。明清時代、小北の地に立っていた門が2010年、越秀公園前で再建された。もともとは1380年、明の朱亮祖によるもので、門内が小北直街、門外が泥の登峰路となっていた(小北門に対応するように、越秀山の反対側にちょうど大北門があった)。広州の生命の源(水源)である、白雲山から流れる水がまず最初に到達するのがこの地であり、小北城門あたりでは多くのお店や文人、商人などでにぎわった。辛亥革命後の1918年に城門をとり壊して、小北直街は小北路となった。

北園酒家／北园酒家 ★☆☆

㊗běi yuán jiǔ jiā ㊗bak¹ yun⁴ jáu ga¹

ほくえんしゅか／ベェイユゥエンジィウジィア／バッユンザオガア

　白雲山からの滋味豊かな水が流れ、そこで育まれた新鮮な野菜が収穫される小北に立つ広東料理の名店の北園酒家。北園とは明代、この地にあった文人の園林(北園)に由来し、1928年の創業時には白雲山麓の牧歌的な風景が広がっていたという。当初の北園酒家は竹組み、藁葺き屋根の粗末なものだったが、新鮮な野菜、地元の食材を使った素材のおいしさや優れた調理法、見た目の鮮やかさなどで、またたくまに繁盛し、広州を代表する名店となった。1938年の日本軍による広州占領の際、閉鎖された経緯もあるが、その後、再開し、嶺南園林と嶺南建築による現在の姿となった。北園酒家には多くの富裕な政治家や実業家、郭沫若などの文学者が訪れ、「食飯去北園、飲茶到泮渓(食べるなら北園酒家、飲茶なら泮渓酒家)」とたたえられた。最高級の広東料理が食べられるほか、広東人の好む飲茶、生煎包などの小吃も出す。

旧広州電視塔／电视塔旧址 ★☆☆

北diàn shì tǎ jiù zhǐ　広diàn³ si³ taap² gau³ jí

きゅうこうしゅうでんしとう／ディエンシイタアジィウチイ／ディンシイタアッガウジイ

　環市中路の南、越秀公園の東麓にそびえる旧広州電視塔。1965年に建てられた電波塔で、高さ218m、八角形の塔身をもつ。長らく広州の電波塔（テレビ塔）として知られていたが、2010年の天河南の広州塔の開業で、その機能は遷った。

『(広東)広東市内より沙面遠望』(京都大学附属図書館所蔵)部分

Huan Shi Dong Lu
環市東路城市案内

広州古城の東郊外にあたった環市東路
20世紀後半に開発が進んだところで
日本人になじみのあるエリアでもある

環市東路／环市东路★☆☆
普huán shì dōng lù 広waan⁴ sì, dung¹ lou³
かんしとうろ／フゥアンシイドォンルウ／ワアンシイドォンロウ

　広州古城の東郊外の開発は20世紀に入ってから進み、環
市東路の一帯では新中国成立後の1955年、海外に暮らす華
僑たちが帰郷して華僑新村がつくられた。もともと20世紀
初頭に、三元里、北較場、白雲山と続く軍用路が広州北側を
東西に走っていたが、1957年、それをもとに広州市街北部
をおおうように続く環市東路、環市中路、環市西路が整備さ
れた。環市東路の開発にともなって、広州の中心は東に移動
し、環市東路は大型ショッピングモール、ホテル、大手銀行
が集まる1990年代の広州のCBD（中央商務区）でもあった。広
州市街の東進はさらに続き、2000年代以降は天河が新たな
CBDとなっている。環市東路には、世界貿易センター、日本
領事館などが位置する。

花園酒店／花园酒店★☆☆
普huā yuán jiǔ diàn 広fa¹ yun⁴ jáu dim²
かえんしゅてん／フゥアユゥエンジゥディエン／ファアユンザオディム

　花園酒店は、環市東路に立つ高さ107m、30階建ての広
州最高級ホテル。広州出身の華僑I・M・ペイによる設計
で、Y型、翼を広げるような建物となっている。広州と香

環市東路

淘金東路

友愛路

華僑新村

白雲賓館

淘金路

淘金

原道路

光明路

環市東路

環市東路

建設大馬路

建設王馬路

建設六馬路

花園酒店

華楽路

青龍坊

建設横馬路

興中会墳場

執信中学

先烈南路

伍漢持墓

広州起義烈士陵園

東風東路

0km   1km

N

東山と環市東路

鎮海楼

越秀公園

北京路

小北

小北城門

北園酒家

東濠涌高架路

地鉄6号線

淘金

建設大馬路

建設六馬路

環市賓館

黄花崗七十二烈士

先烈中路

黄花崗

広州動物園

地鉄6号線

環市東路

応元路

中山紀念堂

紀念堂

東風中路

先烈南路

区荘

動物園

東風東路

広州古城

広州農民運動講習所旧址

地鉄2号線

農講所

南越国宮署遺跡

中山四路

広東省人民体育場

英雄広場

広州起義烈士陵園

烈士陵園

中山医科大学

農林路

農林下路

楊箕

広州動物園

東山口

中山一路

北京路

0km   3km

N

港の合弁会社によって1985年に開業し、当時の広州は緑豊かな花城と呼ばれていたことから、花園酒店と名づけられた。ホテル内にはプールや銀行があるほか、日本領事館の入居する日本人になじみの深いホテルでもある。

華僑新村／华侨新村★☆☆

㉝huá qiáo xīn cūn　㉛wa⁴ kiu⁴ san¹ chyun¹

かきょうしんそん／フゥアチィアオシィンツゥン／ワァキゥウサアンチュウン

東南アジア、アメリカ、カナダ、香港、マカオなど、20以上の国に進出していた華僑による華僑新村。清代から海外に進出していた広東華僑の人たちは、1949年の新中国成立にあわせて祖国に戻り、国づくりに参加した。1954年、広州市人民代表大会でこうした華僑を迎えるための華僑新村の造営が提案され、1955年から10年の月日をへて1966年に完成した。華僑の帰郷は1911年の辛亥革命の

ときにも起こったもので、そのときは荒れ地であった東山が開発された。華僑新村では区画ごとに異なる種類の木が植えられ、熱帯や亜熱帯の植生が見られるなか、ゆったりとした街区が広がっている。

興中会墳場／兴中会坟场★☆☆
(北)xīng zhōng huì fén chǎng　(広)hing¹ jung¹ wui⁴ fan⁴ cheung⁴
こうちゅうかいふんじょう／シィンチョンフゥイフェンチャアン／ヒィンジョンウイファンチャアン

　清朝末期の1894年に孫文によって、ハワイで結成された秘密結社の興中会。当時、孫文は兄をたよって華僑として海を渡っていて、清朝打倒を目指す革命派の興中会は1905年に中国同盟会に再編され、1911年の辛亥革命の原動力となっていった。広州郊外のこの地は、もともと墓園がたたずむ僻地であったが、1923年に興中会墳場がつくられた。黄色の外壁で、緑色の屋根をもつ墓園の入口には、孫文が使った「天下為公(天下を公と為す)」の文言が見える。

執信中学／执信中学★☆☆
(北)zhí xìn zhōng xué　(広)jap¹ seun² jung² hok³
しっしんちゅうがく／チイシィンチョオンシュエ／ジャッソンジョオンホッ

　若くして生命を落とした革命家朱執信(1885～1920年)を記念して孫文が樹立した執信中学。朱執信は日本に学び、孫文とともに革命運動に従事したが、調停の交渉の際、誤って殺害された(孫文から「革命の聖人」と呼ばれた)。執信中学は1921年の創建で、1925年にこの地に遷ってきた。廖仲愷、胡漢民、孫科、蔡元培、林森、李大釗といった人が校長をつとめた名門で、緑色の屋根瓦をもった門楼、南座、北座、図書館、法公大楼からなる美しい校舎をもつ。

Nong Lin Xia Lu
農林下路城市案内

北京路や上下九路といった広州の繁華街に
準じる商圏を形成する農林下路
あたりは20世紀初頭に開発された

中山路／中山路★☆☆
(北)zhōng shān lù (広)jung¹ saan¹ lou³
ちゅうざんろ／チョンシャンルウ／ジョオンサアンロウ

　広州市街の東西をつらぬく大動脈の中山路。清代の恵愛直街を前身とし、大東門外の通りは正東門大街、また大東路といった。1912年に中華民国が成立すると、広州の街区拡大にあわせて、1921年に現在の中山三路、1925年に現在の中山二路、そして1926年、東山口あたりの中山一路が整備された。この通りは孫文が構想した『建国方略』の『実業計画』をもとにしたもので、広州古城から広州起義烈士陵園、東山へといたり、いわば1920〜30年代の広州の旧市街と新市街を結ぶ大動脈でもあった。1948年に孫文をたたえて中山路と名称を変え、東から西に向かって一路、二路、三路と続き、広州古城東部の東山あたりでは、中山路を中心に、英雄広場、東山口商圏をつくっている。

東風東路／东风东路★☆☆
(北)dōng fēng dōng lù (広)dung¹ fung¹ dung¹ lou³
とうふうとうろ／ドォンフェンドォンルウ／ドォンフォンドォンロウ

　広州古城の中心に立つ中山紀念堂から、東に伸びる東風中路から続く東風東路。1938年に整備され、当時は広州から虎門（珠江河口部）にいたる道という意味で、広虎路と呼ば

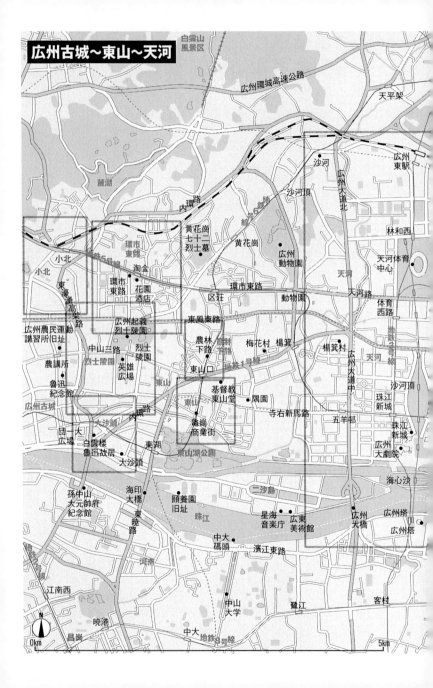

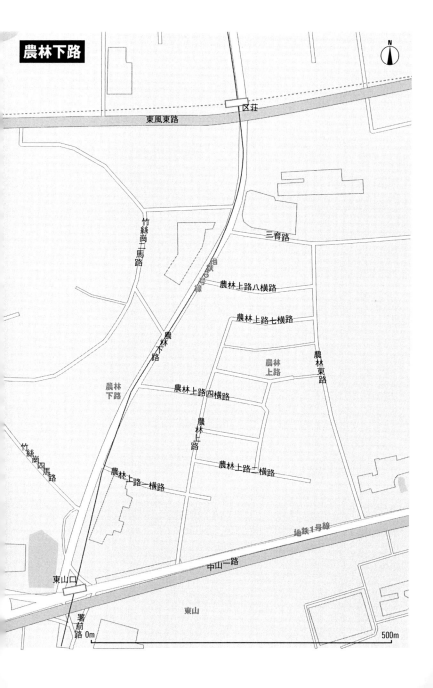

農林下路

N

東風東路

区荘

竹絲岡二馬路

三育路

農林上路八横路

地鉄○号線

農林上路七横路

農林下路

農林上路

農林東路

農林下路

農林上路四横路

竹絲岡四馬路

農林上路

農林上路二横路

農林上路一横路

地鉄1号線

中山一路

東山口

東山

署前路

0m

500m

れた。1945年以後は、黄埔大道と呼ばれ、文革中の1968年に毛沢東の言葉「東風は西風を制す」から東風路という名前がつけられた。東山にあって、南の中山路、北の環市東路とならんで東西の大動脈となっている。

★★★
天河／天河 ティエンハア／ティンホォ
珠江新城／珠江新城 チュウジィアンシンチャン／ジュウゴオンサアンシィン
広州塔（広州タワー）／广州塔 グゥアンチョウタア／グゥオンジョウタアッ

★★☆
農林下路／农林下路 ノンリィンシィアルウ／ノォンラムハアロウ
東山／东山 ドンシャン／ドォンサアン
小北／小北 シィアオベェイ／シィウバッ
黄花崗七十二烈士墓／黄花岗七十二烈士墓 ファンファガンチシィアァリエシィムウ／ウォンファアゴォンチャッサッイイリッシイモウ
広州動物園／广州动物园 グゥアンチョウドンウュウエン／グゥオンジョウドォンマッユン
広州起義烈士陵園／广州起义烈士陵园 グゥアンチョウチィイリエシィリィンユゥエン／グゥオンジョウヘェイイイリッシイリンユン
広州大劇院（広州オペラハウス）／广州大剧院 グゥアンチョウダアジュウユゥエン／グゥオンジョウダアイケッュユウン

★☆☆
農林上路／农林上路 ノンリィンシャンルウ／ノォンラムソォンロウ
署前路／署前路 シュウチィエンルウ／チュウチィンロウ
環市東路／环市东路 フゥアンシイドォンルウ／ワアンシイドォンロウ
花園酒店／花园酒店 フゥアユゥエンジゥウディエン／ファアユンザオディム
中山路／中山路 チョンシャンルウ／ジョオンサアンロウ
東風東路／东风东路 ドンフェンドォンルウ／ドォンフォンドォンロウ
寺右新馬路／寺右新马路 スウヨウチシィンマアルウ／ジィヤウサアンマアロウ
基督教東山堂／基督教东山堂 ジイドゥジィアオドンシャンタァン／ゲエイドッガアオドォンサアントン
亀崗商業街／龟岗商业街 グゥイガァンシャンイィエジエ／グァアイゴォンソォンイィガアイ
隅園／隅园 ユゥユゥエン／ユゥユン
東山湖／东山湖 ドォンシャンフウ／ドォンサアンウゥ
英雄広場／英雄广场 インシィオングゥアンチャアン／インインホォングゥオンチャアン
大沙頭／大沙头 ダアシャアトォウ／ダアイサアタァウ
白雲楼魯迅故居／白云楼鲁迅故居 バアイユゥンロォウルウシュングゥジゥウ／バアクワンロォウロゥソォングゥゴォイ
梅花村／梅花村 メェイフゥアツゥン／ムイファアチゥン
楊箕村／杨箕村 ヤァンジイツゥン／ヤァンゲエイチゥン
沙河／沙河 シャアハア／サアホォ
二沙島／二沙岛 アアシャアダアォ／イイサアドォウ
頤養園旧址／颐养园旧址 イイユゥアンユゥエンジゥウチイ／イイヤオンユンガオジイ
広東美術館／广东美术馆 グゥアンドォンメェイシュウグゥアン／グゥオンドォンメェイサォッグゥン
星海音楽庁／星海音乐厅 シィンハァイイインユゥエティン／シィンホオイヤアムンゴッテェン
広州東駅／广州东站 グゥアンチョウドォンチャアン／グゥオンジョウドォンジャアム
天河路／天河路 ティエンハアルウ／ティンホォロウ
天河体育中心／天河体育中心 ティエンハアティイユウチョンシン／ティンホォタアイヨッジョオンサアム

農林下路／农林下路★★☆

北nóng lín xià lù 広nung⁴ lam⁴ ha³ lou³

のうりんかろ／ノォンリィンシィアルウ／ノォンラムハアロウ

　東山の政治、経済、文化の中心地で、長さ1160m、幅14mのにぎやかな通りの農林下路。ショッピングモールやレストランなどが集まり、近くの農林上路、農林東路、署前路、亀崗大馬路をあわせて広州有数の商圏を構成する。農林下路という名称は、清朝末期の1909年、この地に広州農事試験場（のちに農林試験場）がおかれたことに由来する。当時、あたりは広州古城大東門から3kmほど離れたはずれの田園地帯に過ぎず、ここで水田、果樹園、養魚池を整備して水稲の栽培や蚕の飼育が行なわれた。1926年に中山路が東のこの地まで伸び、華僑が東山や梅花村に住居を構えると、農林下路はショッピング、グルメ、娯楽の街へと発展をとげた。北京路、上下九路にくらべて新しい繁華街で、農林上路、農林下路という名前は、猫児崗の上か、下か、によって名づけられている。

農林上路／农林上路★☆☆

北nóng lín shàng lù　広nung⁴ lam⁴ seung³ lou³

のうりんじょうろ／ノォンリィンシャンルウ／ノォンラムソォンロウ

　西を走る農林下路に対して、猫児崗（丘）のうえを走る長さ410m、幅5.6mの農林上路。このあたりは1909年、広東省農林試験場がおかれ、日本やタイからよい品質の稲をもちこんで実験や品種改良が行なわれた（清代、土地が肥沃で、水稲、野菜、魚などがとれた）。1911年の辛亥革命以後、華僑が広州に戻ってきて、このあたりに暮らしたことから、美華路、達道路、梅花村などとともに、1920～30年代に建てられた建物がならんでいる。

かつての広州のシンボルだった旧広州電視塔

環市東路の花園酒店

Dong Shan

東山城市案内

東山の名前を残す東山口は
かつて越秀区、荔湾区とならぶ東山区の中心地だった
20世紀初頭の広州の面影を伝える街並み

署前路／署前路★☆☆
北shù qián lù 広chyu, chìn⁴ lou³
しょぜんろ／シュウチィエンルウ／チュウチィンロウ

　20世紀初頭、この地に警察文署、そして東山区人民政府が
おかれ、東山の中心通りとして知られた署前路。古くは明代
1480年の創建で、東山という地名の由来となった永泰寺(東
山寺)があったところで、近代には荒廃してしまっていた。こ
の署前路は1916年に整備され、長さ237m、幅11mで、中山路
から南に走り、亀崗大馬路(亀崗商業街)へと続いていく。あた
りは中華民国(1912～49年)時代の政治、経済の中心だった。

陳樹人紀念館／陈树人纪念馆★☆☆
北chén shù rén jì niàn guǎn 広chan⁴ syu³ yan⁴ gèi nim³ gún
ちんじゅじんきねんかん／チェンシュウレンジイニィエングゥアン／チャンシュウヤンゲエイニムグゥン

　かつて東山寺が立っていた署前路の一角に残る陳樹人紀
念館。嶺南画派の陳樹人は、1927年に日本から帰国したの
ちに、園林を整備して、この地で暮らした。陳樹人紀念館の
敷地には、古木が茂っていたため、古翠楼と呼ばれた。陳樹
人は一番奥の寒緑山堂(画室)で過ごしていたという。

東山拡大

農林下路
農林上路
農林下路

中山一路
東山口
地鉄1号線
中山一路

中山一路

路子百横

陳樹人紀念館

内環路

基督教東山堂

署前路

寺貝通津

培道中学

廟前西街
啓明四馬路
啓明横馬路
啓明三馬路
啓明大馬路
廟前直街
總領事
廟前直街

啓明二馬路
徳安路
八百載
亀崗商業街
江嶺西
江嶺東
江嶺下

東華東路
啓明一馬路

東山

恤孤院路

培正路

培正二横路

培正東街

遂園
瓦窯旧前街
簡園
明園
培正一横路

東山大街
中共三大会址紀念館
春園后街
培正新横路

合群一馬路
新河浦
新河浦
春園

總鉄6号線
合群二馬路

東山湖公園

0m
500m

N

基督教東山堂／基督教东山堂 ★☆☆

(北)jī dū jiào dōng shān táng／(広)gei¹ duk¹ gaau² dung¹ saan¹ tong⁴

きりすときょうとうざんどう／ジイドゥジィアオドォンシャンタァン／ゲエイドッガアオドォンサアントン

　　荘厳なたたずまいをもつ、広州を代表するキリスト教会の基督教東山堂（東山浸信会堂）。アヘン戦争後の1888年、中国での布教を許されたアメリカ南部のバプテスト・キリスト教会が、五仙門で培道女子学堂を設立した。キャンパスが手狭になったので、1903年、教団は新たに東山の土地を購入し、培道女学校（現在の広州第七中学の前身）とバプテスト神学校を建設した。その後の1911年に辛亥革命が起こっていて、広

州東山の開発は華僑とこのキリスト教団の力が大きかったという。当初、竹の小屋だったが、1926年に現在の姿となり、東山浸信会堂(東山堂)と改められた。凸型平面プランをもち、幅26.6m、奥行22.2m、石づくりで、ファサードにはステンドグラスがはめこまれている。20世紀の文革時代、一時活動を休止していたが、現在では活動を再開し、東山のキリスト教拠点となっている。

培正中学／培正中学★☆☆

⑭péi zhèng zhòng xué ⑲pui⁴ jing² jung¹ hok³
ばいせいちゅうがく／ベイチェンチョオンシュエ／プイジィンジョオンホッ

清末の1889年、廖徳山に建てられた培正書塾を前身とする培正中学。1906年、東山に遷り、20世紀初頭の、緑の屋根瓦、レンガづくりの中国と西欧様式が融合した建築群が残っている。1929年創建の3階建てのアメリカ華僑記念堂、1918年創建の王広昌寄宿舎、1925年創建の青年会楼がその代表格となっている。近代広州では、それまでになかったような校舎をもつ学校に、海外生活経験のある華僑がその師弟を通わせた。こうして培正中学(教育)の周囲には新しい住宅地が現れることになった。

培道中学(広州市第七中学)／培道中学★☆☆

⑭péi dào zhòng xué ⑲pui⁴ dou³ jung¹ hok³
ばいどうちゅうがく(こうしゅうしだいななちゅうがく)／ベイダオチョンシュエ／プイドウジョオンホッ

バプテスト・キリスト教会のアメリカ人宣教師によって開学した培道中学。1888年に五仙門で創建された私立培道女子中学を前身とし、1907年に東山に遷ってきて、1928〜32年に校舎も完成した。幅41.8m、奥行14.8mで、赤レンガの本体に緑の屋根を載せる堂々とした建築の四十年記念堂がその代表建築として知られる。現在は広州市第七中学となっている。

新河浦／新河浦★★☆

北xīn hé pǔ　広san¹ ho⁴ póu

しんかほ／シンハアブウ／サァンホゥポオウ

　東山湖の北岸、小さな渓流の新河浦涌が流れていたことから名づけられた新河浦。1911年に、アメリカ華僑が開発したことがはじまりで、東山最初期に市街地化した場所でもある。1920～30年代に新河浦から亀崗へと続く一帯に、2～3階建ての西洋式花園別墅がならぶようになった。赤レンガや西欧風の回廊、低層の中庭をもつ住宅、華僑による園林、中国共産党の会議場跡といった、広州近代の100年を凝縮したような街並みが広がっている。

亀崗商業街／亀崗商业街★☆☆

北guǐ gǎng shāng yè jiē　広gwai¹ gong¹ seung¹ yip³ gaai¹

きこうしょうぎょうがい／グゥイガァンシャンイィエジエ／グァアイゴオンソォンイィガアイ

　亀崗商業街は亀崗、新河浦を走る大通り、商業街で、騎楼や20世紀初頭に建てられた邸宅が残っている。亀崗という地名は、この土地がもともと丘陵上で、亀の背中のようなかたちをしていることから名づけられた。1915年、開平出身のアメリカ華僑、黄夔石は開発会社「大業堂」をつくって、この一帯の土地を購入した。もともとは荒れ地だったが、それを人びとに売り、1922年以降、華僑が亀崗に道路や家を整備し、資産を投資して、街が活気づいていった。現在は当時の面影を伝える街並みが広がっている。

八百載／八百載★☆☆

北bā bǎi zài　広baat² baak² joi²

はっぴゃくさい／バアバァイザァイ／バアッバァッゾォイ

　20世紀初頭からの伝統をもつ、広州を代表する老舗干し肉店の八百載。1930年代、番禺人の謝柏は広州の街角でタバコや帽子、下駄、食料品などを売り歩いていたが、貯金ができたので1937年に海珠南路で店を構えた。そしてさらに

漢詩が石に刻まれている

騎楼というアーケード式建築が続く

清末民初の広州知識人の様子

茶、お粥、麺類をあつかったが、当時の広州では干し肉(腊味)の人気が高く、1938年初頭、肉の専門店とすることに決め、その後、当時の新市街であった東山に遷ってきた。皮がパリッとしていて、肉がやわらかく、塩辛いなかに甘さのある八百載の干し肉(腊味)はやがて広州を代表する味になった。八百載という名称は、周の武王が800年続いた理想的な王朝を築いたことからとられている(「周武王始誅紂、八百載最長久」)。

恤孤院路／恤孤院路★☆☆
(北)xù gū yuàn lù (広)seut¹ gu¹ yún lou³
しゅつこいんろ／シュウグウユウエンルウ／セッグウユウンロウ

　南側で新河浦と交差する路地の恤孤院路。新河浦路、恤孤院路、培正路一帯には、春園、簡園、逵園をはじめとする1920〜30年代に建てられた東山洋房が400棟あまり残っている。もとは荒れ地だったこのあたりも1920年代に帰郷した華僑によって整備されていった。恤孤院路という名称は、ここにキリスト教会による孤児院(恤孤院)があったところに由来する。

春園／春园★☆☆
(北)chūn yuán (広)cheun¹ yun⁴
しゅんえん／チュンユウエン／チュウンユン

　春園は、新河浦のそばに残る、3階建て、幅9.81m、奥行19.1mの欧風建築。1923年に中国共産党が上海から広州に遷ってきて、ここに事務所がおかれていたことから、中共中央機関旧址ともいう(中共中央局の所在地だった)。当時、春園のまわりにはまだ家が少なく、門前には珠江に通じる小さな渓流の新河浦があり、北側には蓮池が隣接していた。そのため、中国共産党が活動するために安全な場所となっていて、1923年5月に上海から陳独秀、李大釗、毛沢東が到着して、ここに拠点を構えた。そして、春園のすぐそばで6月12〜20日まで、中国共産党の三全大会が開催された。

逵園(葵園)／逵园★☆☆
㊗kuí yuán ㊨kwai⁴ yun⁴
きえん(きえん)／クゥイユゥエン／クワイユン

　中共三大会址紀念館の向かいに残る幅12m、奥行19.2m
の3階建ての逵園(葵園)。1922年にアメリカ華僑の馬灼文に
よって建てられ、広州五大僑園や東山四大名園のひとつに
あげられる。陶器や洋服を展示するギャラリーとなってい
る。

簡園／简园★☆☆
㊗jiǎn yuán ㊨gáan yun⁴
かんえん／ジィエンユゥエン／ガアンユン

　春園、逵園、明園とならんで広州東山の四大名園にあげら
れる簡園。1920年代初頭、南洋兄弟烟草公司の簡琴石によっ
て建てられ、その後、国民政府主席の譚延闓がここに居住し
た。1923年に中国共産党の三全大会が行なわれたとき、毛
沢東がここに通ったといい、またドイツ領事館として使わ
れることもあった。3階建ての洋楼で、幅17.5m、奥行11mと
なっている。

明園／明园★☆☆
㊗míng yuán ㊨ming⁴ yun⁴
みんえん／ミィンユゥエン／ミンユン

　1920～30年代に華僑の暮らした3層、赤レンガづくりの
明園。幅8.4m、奥行14.6mの西側の楼閣と、幅9m、奥行11m
の東側の楼閣からなる。

中共三大会址紀念館／中共三大会址纪念馆★☆☆
㊗zhōng gòng sān dà huì zhǐ jì niàn guǎn ㊨jung¹ gung³ saam¹ daai³ wui³ jí géi nim³ gún
ちゅうきょうさんだいかいしきねんかん／チョンゴォンサァンダアフゥイチイジイニィエングゥアン／ジョオンゴォンサアムダアイウイジイゲエイニィムグゥン

　1921年に結成された中国共産党は、全国代表大会を開い
て、その方針を決めてきた。1923年6月12～20日、中国共産

東山と長堤に近代建築が多く残る

党第3回大会が東山のこの建物で行なわれ、現在は中共三大会址紀念館として開館している。1923年5月、上海から広州に移転した中国共産党は、ここ広州で孫文を指導者とする統一戦線の問題を話しあった。陳独秀、李大釗、毛沢東をはじめとする代表者30名、共産主義インターナショナルの代表であるマーリンが参加し、6月19日に「中国共産党第3回全国代表大会宣言」が採択された。その翌年、広州で第一次国共合作(1924〜27年)がかない、この建物は日中戦争で破壊されたが、やがて再建されて2006年に対外開放された。

培正路／培正路★☆☆
北péi zhèng lù 広pui⁴ jing² lou³
ばいせいろ／ベイチェンルウ／プイジンロウ

　かつて東山区政府のあった署前路の南東、恤孤院路に並行して走る培正路。もともと丘陵や池が広がる地であったが、1907年にキリスト教会がこの地で開学した培正中学からこの名前がつけられた。長さ371m、幅7.4mの通りには簡園や明園といった東山洋房が残っている。

隅園／隅园★☆☆
北yú yuán 広yu⁴ yun⁴
ぐうえん／ユウユゥエン／ユウユン

　1932年創建の東山洋房を代表する2階建て、レンガづくりの隅園。造船業で名をなした伍景英が自ら設計した建築で、イギリスの建築様式を地元広州の風土に融合させたものとなっている。

東山湖／东山湖★☆☆
北dōng shān hú 広dung¹ saan¹ wu⁴
とうざんこ／ドンシャンフウ／ドォンサアンウゥ

　現在、市街地と陸つながりの大沙頭は、二沙島と同じように珠江に浮かぶ島であり、東山湖あたりも、珠江に隣接する

沼地（崩口塘）が広がっていた。20世紀初頭には、崩口塘に桟橋が整備され、当時東山に住んでいた有力者たちはここで船に乗り、長堤（広州の中心地）に向かった。1947年ごろ、この沼地には竹や茅製の小屋を住居とする35の家族が暮らしていて、1958年に広州市街の開発がはじまると、崩口塘の南北両岸と中央に幅16mの堤防が築かれ、湖のなかの5つの半島、湖水のなかの島もつくられた。そしてこの公園は1959年に完成し、東山湖公園と名づけられた。

『広東珠江 池田実人氏筆』（京都大学附属図書館所蔵）部分

Huang Hua Gang
黄花崗城市案内

広州市街東部の黄花崗には
黄花崗七十二烈士墓や広州動物園があり
あたりは環市東路に続く市街地でもある

黄花崗七十二烈士墓／黄花岗七十二烈士墓★★☆
⑰huáng huā gǎng qī shí èr liè shì mù　⑰wong⁴ fa¹ gong¹ chat¹ sap³ yi³ lit³ si³ mou³
こうかこうななじゅうにれっしはか／ファンファガンチィシィアァリエシィムウ／ウォンファアゴォンチャッサッィイリッシィモウ

　清朝末期に革命への機運が高まり、1911年10月の辛亥革命を受けて、1912年に清朝が滅亡するといった流れの中心は、北京から遠く離れた広州にあった。辛亥革命以前にも孫文ひきいる中国同盟会は、広州でたびたび武装蜂起を試みたが、いずれも失敗し、黄花崗七十二烈士墓には革命派に大きな打撃をあたえた黄花崗事件の犠牲者がまつられている。それは辛亥革命の半年前(1911年4月)の出来事で、中国同盟会の黄興は120名あまりをひきいて広州で武装蜂起し、両広総督公署の攻撃を試みた。しかし、この武装計画は事前にもれて、戒厳令がしかれ、武装メンバーの足並みもそろわなかったことから、蜂起は失敗に終わった。そのとき生命を落とした86名の殉職者の遺体は、大東門外側の諮問局(現在の広州近代史博物館)前広場に集められ、同盟会の藩達微が、自宅を担保にこの地に墓を造営した。その後、1912年に黄花崗墓所が建設され、1921年には殉教者の墓と広場が完成し、公園として開放された。黄花崗七十二烈士墓には、86名の犠牲者のうち藩達微が埋葬した72名分の墓が残っていて、園内には自由の女神像が立つ。

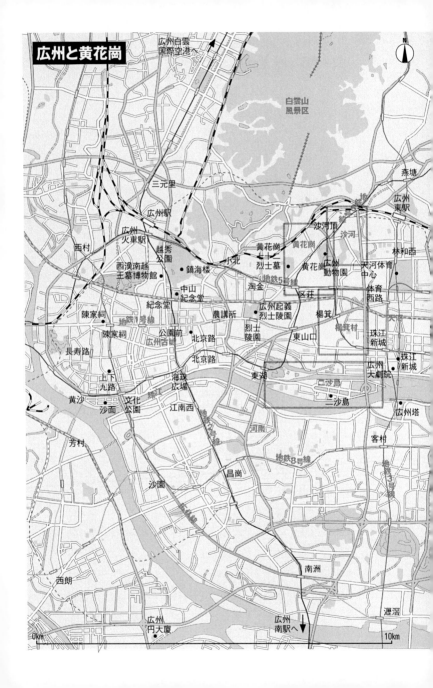

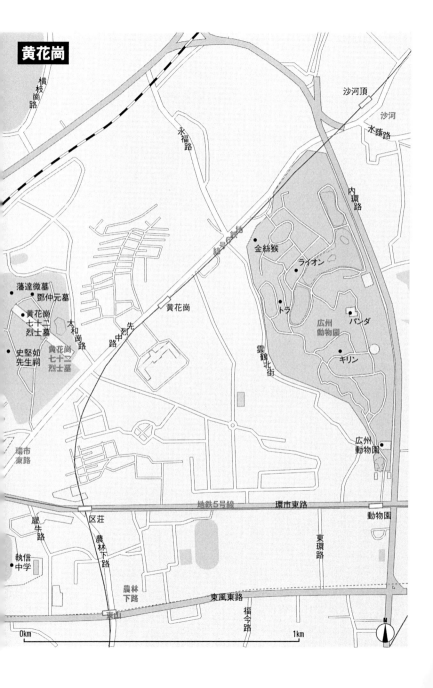

黄花崗

横枝崗路

沙河頂

沙河

水蔭路

永福路

内環路

金絲猴

ライオン

黄花崗

トラ

パンダ

広州動物園

先烈中路

雲鶴北街

キリン

潘達微墓

鄧仲元墓

黄花崗七十二烈士墓

太和崗路

史堅如先生祠

黄花崗七十二烈士墓

瑞市東路

広州動物園

地鉄5号線

環市東路

動物園

区荘

農林下路

犀牛路

執信中学

東環路

農林下路

東風東路

福今路

0km   1km

N

紅花崗と黄花崗

　　紅花崗とはもともと中山三路にある広州起義烈士陵園の場所(黄花崗事件犠牲者の遺体が集められた場所)をさし、そこには紅花崗四烈士墓も残っている。1911年に黄花崗事件が起こったとき、藩達微が現在の黄花崗七十二烈士墓の地を紅花崗(三望崗)だとして埋葬し、紅花崗の名称を黄花崗と変えて、黄花崗七十二烈士墓と名づけた。それは「高潔」を意味する黄色い花、菊からとられたものだった。しかし、文化大革命が起こった1966年、「黄花崗」が「ブルジョア的名称」だとされ、一旦、「紅花崗」へ変更されている(中国語で黄色は、堕落や性的なイメージも意味した)。結局、1911年に名づけられた通り、黄花崗へと戻されたが、このような事情で、紅花崗や黄花崗

***

天河／天河 ティエンハア／ティンホォ

珠江新城／珠江新城 チュウジィアンシンチャン／ジュウゴオンサアンシィン

広州塔(広州タワー)／广州塔 グゥアンチョウタア／グゥオンジョウタアッ

☆☆★

黄花崗七十二烈士墓／黄花岗七十二烈士墓 ファンファガンチシィアァリエシィムウ／ウォンファアゴォンチャッサッイイリッシィモウ

広州動物園／广州动物园 グゥアンチョウドンウウユウエン／グゥオンジョウドォンマッユン

東山／东山 ドォンシャン／ドォンサアン

農林下路／农林下路 ノンリィンシィアルウ／ノンラムハアロウ

広州起義烈士陵園／广州起义烈士陵园 グゥアンチョウチィイイリエシィリィンユウエン／グゥオンジョウヘェイイイリッシイリンユン

小北／小北 シィアオベェイ／シィウバッ

広州大劇院(広州オペラハウス)／广州大剧院 グゥアンチョウダアジュウユウエン／グゥオンジョウダアイケッユウン

☆☆★

藩達微墓／潘达微先生之墓 パァンダアウェイシィエンチェンチイムウ／ブンダアッメイシィンサアンジイモウ

鄧仲元墓／邓仲元墓 ダァンチョンユゥエンムウ／ダァンジョンユンモウ

史堅如先生祠／史坚如先生祠 シイジイエンルウシィエンシャンツウ／シイギィンユゥシンサアンチィ

沙河／沙河 シャアハア／サアホオ

楊箕村／杨箕村 ヤァンジイツゥン／ヤァンゲエイチゥン

環市東路／环市东路 フゥアンシイドォンルウ／ワアンシイドォンロウ

東風東路／东风东路 ドォンフェンドォンルウ／ドォンフォンドォンロウ

執信中学／执信中学 チイシィンチョォンシュエ／ジャッソンジョオンホッ

広州東駅／广州东站 グゥアンチョウドォンチャアン／グゥオンジョウドォンジャアム

天河体育中心／天河体育中心 ティエンハアティイユウチョンシン／ティンホォタアイヨッジョオンサアム

二沙島／二沙岛 アアシャアダアオ／イィサアドォウ

壮大な墓陵が黄花崗事件の歴史的意味を物語る

奥に自由の女神が見える、黄花崗七十二烈士墓

動物園入口近くに飾られていた恐竜

の場所やイメージが混乱することになった。

藩達微墓／潘达微先生之墓 ★☆☆

(北)pān dá wēi xiān shēng zhī mù　(広)pun¹ daat³ mei¹ sin¹ saang¹ ji¹ mou³
はんたつびはか／パァンダアウェイシィエンシェンチイムウ／ブンダアッメイシィンサアンジイモウ

1911年4月に起きた黄花崗事件の犠牲者のうち、72名分の遺体を埋葬した藩達微(1881〜1929年)を埋葬する墓。藩達微は1881年、広州東圃鎮で生まれ、詩文や書画を愛し、医学を志すなかで孫文と出会い、興中会に参加した。1911年の黄花崗事件では私財をなげうって犠牲者を追悼し、辛亥革命後の1929年、香港でなくなるとその意思通り、黄花崗に埋葬された。

鄧仲元墓／邓仲元墓 ★☆☆

(北)dèng zhòng yuán mù　(広)dang³ jung³ yun⁴ mou³
とうちゅうげんはか／ダァンチョンユゥエンムウ／ダァンジョオンユンモウ

鄧仲元(1886〜1922年)は、中国同盟会に参加した広東人の軍人で、孫文のもとで頭角を現した。鄧仲元墓は1924年の創建で、黄花崗七十二烈士墓敷地の東南側にあり、墓道、門楼、銅像、楽台などからなる西欧の古典様式建築となっている。鄧仲元銅像は当初、九広鉄路の駅のそばにあったが、1950年代にこの地に遷ってきた。

史堅如先生祠／史坚如先生祠 ★☆☆

(北)shǐ jiān rú xiān shēng cí　(広)si gin¹ yu⁴ sin¹ saang¹ chi⁴
しけんじょせんせいし／シイジィエンルウシィエンシャンツウ／シイギィンユゥシィンサアンチィ

興中会に参加し、辛亥革命の先駆者としてたたえられる史堅如先生祠。史堅如(1879〜1900年)は清朝末期、革命活動のなかで拷問のうえ処刑されたが、その志は孫文にも影響をあたえた。当初、烈南路にあったが、1978年にこの地に遷ってきた。

広州動物園／广州动物园★★☆

北guǎng zhōu dòng wù yuán 広gwóng jau¹ dung³ mat³ yun⁴

こうしゅうどうぶつえん／グゥアンチョウドンウウユゥエン／グゥオンジョウドォンマッユン

北京動物園、上海動物園にならぶ規模をもつ華南有数の広州動物園。広州動物園は辛亥革命後の1912年、広州東堤におかれた東園をはじまりとし、当時、トラやライオン、ワニ、そして数匹のサルが飼育されていた。1928年、国民政府は広州の中心地であった永漢公園(南越宮署一帯)に新たに動物園をつくったが、やがて手ぜまになったことを受けて、新たな動物園の場所が模索された。それは先烈中路と環市東路の走る広州郊外の土地で、亜熱帯の樹木がしげる敷地は2万2千平方メートルになり、現在の広州古城と天河地区のあいだに位置する。1958年に開業し、パンダやトラ、象、チンパンジー、レッサーパンダ、ペリカンなどの動物60種200頭以上が飼育されている。

元気なキリンに出合えた、広州動物園

Sha He
沙河城市案内

長らく広州郊外の地にあたった沙河
広州古城とは異なる趣きを見せる街並みに
近代広州ゆかりの遺構が残る

沙河／沙河★☆☆
㊟shā hé ㊥sa¹ ho⁴
さが／シャアハア／サアホォ

　白雲山東麓のこの地には沙河涌の運ぶ大量の土砂が堆積し、沙河大街あたりに砂丘をつくっていた。沙河の地は広州古城から見て、北と東に向かう要衝であるため、清朝はここに10人ほどの兵士を配置する軍事拠点をつくった。当時は人口もわずかで、市場もなかったが、同治帝時代(1862年～74年)、行政機関の沙河府がおかれた。その後、清仏戦争の英雄である広西出身の劉永福(1837～1917年)が、1885年4月の戦争終了後に自らの軍団の拠点を沙河においた。劉永福の軍団は家族もあわせると2000人近くいて、食料の需要があったため、人が集まってきて、やがて村が誕生した。1906年3月、広州の商人が、広州大東門から沙河にいたる馬路を開通させると、沙河の市場は繁栄し、それは1965年まで続いた。現在、沙河には永福村、永福里といった地名が残っていて、そのころ建てられた劉氏家廟も位置する。

劉氏家廟／刘氏家庙★☆☆
㊟liú shì jiā miào ㊥lau⁴ si³ ga¹ miu³
りゅうしかびょう／リィウシイジィアミィアオ／ラオシィガアミィウ

　清仏戦争や日清戦争との戦いに参加した中国の国民的英

沙河

沙河大街
劉氏家廟
沙河
朱執信墓
沙河頂
水蔭四横路
水蔭路
廣州大道中
沙河涌
林和西横路
先烈中路
内環路
十九路軍淞滬抗日陣亡将士陵園
水蔭横路
水蔭路
ライオン
天河北路
トラ
廣州動物園
パンダ
キリン
雲鶴北街
水蔭南路
水蔭路
廣州動物園
環市東路
N
環市東路　地鉄5号線　動物園
0km
1km

雄の劉永福(1837〜1917年)をまつる劉氏家廟。劉永福は現在の広西チワン族自治区に生まれ、1857年、太平天国に呼応する天地会の起義に参加し、その後、清仏戦争終了後の1885年4月に広州に帰ってきて、沙河に拠点をおいた。劉永福をまつる劉氏家廟は、清朝末期の1900年に建てられ、幅32.3m、奥行35.5mで、中庭の奥に大堂が位置する。日中戦争時に破壊をこうむることもあったが、廟内は装飾がほどこされた嶺南様式となっている。広州大道と禺東西路がまじわる地点に位置する。

朱執信墓／朱执信墓★☆☆

㊗zhū zhí xin mù ㊐jyu¹ jap¹ seun² mou³

しゅしっしんはか／チュウチイシィンムウ／ジュウザッサァンモウ

　孫文にしたがい、若くして生命を落とした革命家をまつる朱執信墓。朱執信(1886〜1920年)は1904年、日本に留学したあと広州に戻ってきて、孫文と行動をともにした(「革命の聖人」と呼ばれた)。円形鉢状の陵墓で、1936年、遺体は執信中学校に遷され、衣冠塚となった。

十九路軍淞滬抗日陣亡将士陵園／十九路军淞沪抗日阵亡将士陵园★☆☆

㊗shí jiǔ lù jūn sōng hù kàng rì zhèn wáng jiàng shì líng yuán ㊐sap³ gáu lou³ gwan¹ sung¹ wu³ kong² yat³ jan³ mong⁴ jeung¹ si³ líng⁴ yun⁴

じゅきゅうろぐんしょうこうこうにちじんぼうしょうしりょうえん／シイジィウルウジュンソォンフウカァンリイチェンワァンジィアンシイリィンユゥエン／サッガオロウグゥオンソォンウゥコォンヤッジャンモンジョオンシィリンユン

　1930年、広東省出身者でつくられた軍隊の十九路軍の烈士が眠る十九路軍淞滬抗日陣亡将士陵園。十九路軍は、

1932年の第一次上海事件で日本軍と戦い、そのときになくなった人たちがここにまつられている。当時、日本軍との和平を試みた蒋介石の意思に反して、激しい戦いを行ない、蒋介石から共産党討伐を命じられたが、それも避けたため、1934年、蒋介石によってとりつぶされた。入口には高さ16mの凱旋門のような花崗岩製の門楼が立ち、地元の人は牌坊と呼んでいる。

品展
ition

展览开放时间
pening time of the Exhibition
10:00-17:00

楊箕村城市案内

広州市街の拡大にともなって
それまで郊外の村は城中村となった
楊箕はその代表格として知られる

楊箕村／杨箕村★☆☆

㊗yáng jī cūn ㊛yeung⁴ gei¹ chyun¹
ようきそん／ヤァンジイツゥン／ヤァンゲエイチゥウン

中山一路東端の南側、東山(広州市街)と天河のはざまにあたる地で、広州郊外が開発される以前から続く楊箕村。沙河涌のほとりに明末清初、集落が形成され、当時は簸箕村といった。そこには李、姚、秦、梁の4つの姓の一族がわけへだてなく暮らし、それぞれの祖先をまつる祠堂が今でも残っている。また北帝神像をまつる道教寺院(玉虚宮)が立つほか、青レンガや御影石、木彫品などで彩られた老街、老屋、この村の四宗祠などが見られる。

玉虚宮／玉虚宮★☆☆

㊗yù xū gōng ㊛yuk³ heui¹ gung¹
ぎょくきょきゅう／ユウシュウゴオン／ユッホオイゴオン

明代創建の北帝神像をまつる道教寺院の玉虚宮(北帝廟)。北方を守護する北帝は真武大帝、玄武大帝とも呼ばれる。幅8.3m、奥行21mの寺院は、清代の1721年に重建され、その後、何度も再建されて現在にいたる。

楊箕村

広州動物園 ・ 広州動物園

環市東路

天河路

動物園

梅花路

東風東路

大環路

広州大道中

水均南街

秦氏祠堂

地鉄1号線

玉虚宮

梁公祠

陳済棠公館

姚氏大宗祠

楊箕村

梅花村

楊箕橋

梅花村

中山一路

楊箕

地鉄5号線

泰興直街

楊箕大街

共和路

楊箕村

新天地街

東泰路

共和二路

共和大街

東興中街

東興南路

寺右一横路

寺右二馬路

五羊邨

N

寺右新馬路

0km   1km

姚氏大宗祠／姚氏大宗祠 ★☆☆
北yáo shì dà zōng cí　広yìu⁴ si³ daai³ jung¹ chì⁴
ようしだいそうし／ヤァオシイダアゾォンツウ／イィウシイダアイジョオンチィ

　楊箕村を構成する4つの氏族の李、姚、秦、梁のうち、姚氏
の先祖をまつる姚氏大宗祠。明代の創建で、雍正帝(1722〜35
年)時代に修復された。幅13.3m、奥行37m(現在は25m)で、小
学校内に位置する。

秦氏祠堂／秦氏祠堂 ★☆☆
北qín shì cí tàng　広cheun⁴ si³ chì⁴ tong⁴
しんししどう／チィンシイツウタァン／チョオンシィチィトォン

　楊箕村に暮らす李、姚、秦、梁のなかで秦氏の共通の祖先
をまつる秦氏祠堂。いつ建てられたかはっきりとしていな
いが、1890年と1919年に改修されている。この祠堂建築は、
3間で、2つの中庭が奥に続く。

梅花村／梅花村 ★☆☆
北méi huā cūn　広mui¹ fa¹ chyun¹
ばいかそん／メエイフゥアツウン／ムイファアチュウン

　近代、広州市街が東に拡大するなかで、モデルの住宅地と
して1923年に梅花村はつくられた。1920年代以前はこの地

は荒野であり、その後、1920〜30年代にかけて軍人や政治家たちが次々と邸宅を構えていったことから、2階建ての住宅群が見られ、陳済棠公館、欧陽山旧居などが残る(ポルトガルやイギリスの農村地帯を思わせる雰囲気で、フランスのカトリックが運営する教会もあった)。亜熱帯の広州にあって、この地の冬は比較的寒く、美しい梅の花が咲くことから、梅花村と名づけられた。

陳済棠公館／陈济棠公馆★☆☆

⑬chén jì táng gōng guǎn ⑭chan⁴ jai² tong⁴ gung¹ gún
ちんさいとうこうかん／チェンジイタァンゴォングゥアン／チャンザァイトォンゴォングウン

近代広州の繁栄を築いた「南天王」こと広東軍閥の陳済棠の暮らした陳済棠公館。陳済棠(1890〜1954年)は広西チワン族自治区に生まれ、北伐の時期に広州に残ってこの街を統治した。陳済棠公館は1930年の創建で、陳済棠は1931〜36年のあいだ、この公館で過ごしている。幅19.8m、奥行21.2mの2階建ての赤レンガ建築で、東西に付属楼を配している。日中戦争と、続く国共内戦後、陳済棠は蒋介石とともに台湾に逃れた。

寺右新馬路／寺右新马路★☆☆

⑬sì yòu xīn mǎ lù ⑭ji³ yau³ san¹ ma, lou³
じうしんまろ／スウヨォウシィンマアルウ／ジィヤウサァンマアロウ

広州東山から天河へと続く道路の寺右新馬路。もともと東山には明代創建の東山寺があり、その寺に由来する自然村の寺右郷(現在の寺貝底)がこの地にあった。20世紀後半から広州東郊外の開発が進むと、寺右新馬路は新たな商圏を形成するようになった。

Er Sha Dao
二沙島城市案内

**珠江の流れに浮かぶ二沙島は
東西に長く東山から天河まで続いている
広州市街にあって特異な性格をもつ**

二沙島／二沙岛 ★☆☆
北ěr shā dào 広yi³ sa¹ dóu
にさとう／アアシャアダァオ／イィサアドゥ

　二沙島は、二沙頭、二沙頭島とも呼び、現在は陸続きと
なっている大沙頭に続く「第2の沙島」を意味する。珠江と東
濠涌から流れる土砂で形成された沙州で、清末に陸地化し
た大沙頭に対して、二沙島は珠江に浮かぶ島となっている。
東西3200m、南北600mで、周囲を水に囲まれていて、民国時
代(20世紀初頭)は裕福な層のための別墅群が位置した。広州
古城と天河(珠江新城)の中間にあたる立地が注目され、1980
年代から開発がはじまった。広州星海音楽庁、広東美術館な
どが位置する。

頤養園旧址／颐养园旧址 ★☆☆
北yi yàng yuán jiù zhǐ 広yi¹ yeung, yun⁴ gau³ ji
いようえんきゅうし／イイユァンユウエンジゥチイ／イィヤォンユンガオジイ

　1920年代の広州の著名人や医者の集まった旅館であり、
医院でもあった頤養園旧址。蒋介石などの軍人、政治家、文
人などがここに集まって詩を読んだり、書画に親しんだ。頤
養園とは「頤養天年」の意味で、北京の頤和園を再現する意
味合いがあった。静かな土地で、園内には各種の樹木が植え
られていた。

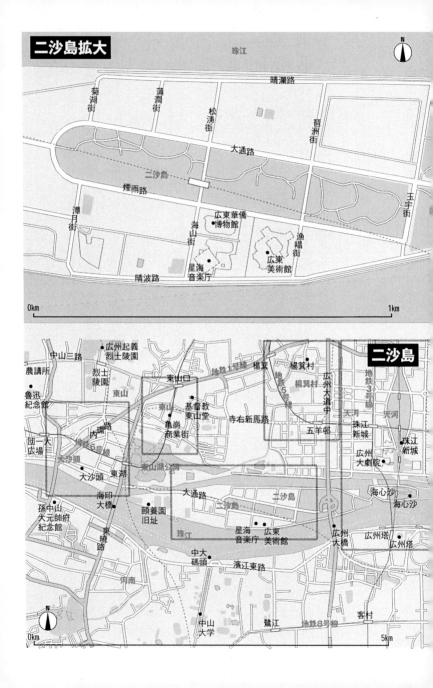

二沙島拡大

珠江

晴瀾路

菊湖街　蒲澗街　松濤街　梧洲街

大通路

二沙島

煙雨路

薄月街

玉宇街

海山街

広東華僑博物館

漁唱街

晴波路　星海音楽庁　広東美術館

0km　　　　　　　　　　　　　　　　1km

二沙島

珠江

中山三路　広州起義烈士陵園

農講所　烈士陵園　東山　東山口　楊箕　楊箕村　楊箕村　広州大道中　地鉄5号線　地鉄3号線

魯迅紀念館　東山　基督教東山堂　寺右新馬路　天河　天河

団一大広場　地鉄6号線　亀崗商業街　五羊邨　珠江新城　珠江新城

大沙頭　東湖　東山湖公園　広州大劇院

孫中山大元帥府紀念館　海印大橋　頤養園旧址　大通路　二沙島　二沙島　海心沙　海心沙

東曉路　珠江　星海音楽庁　広東美術館　広州大橋　広州塔　広州塔

中大碼頭　濱江東路

瀝南

中山大学　鷺江　地鉄8号線　客村

0km　　　　　　　　　　　　　　　　5km

広東美術館／广东美术馆★☆☆
北guǎng dōng měi shù guǎn 広gwóng dung¹ mei, seut³ gún
かんとんびじゅつかん／グゥアンドンメイシュウグゥアン／グゥオンドォンメイサゥグゥン

　　1997年、二沙島に開館したアートの収集、研究、展示、教育を行
なう広東美術館。中国の近現代沿海美術、海外華人美術、中国現代
美術などをテーマとし、屋外展示エリアや人文図書館も擁する。

星海音楽庁／星海音乐厅★☆☆
北xīng hǎi yīn yuè tīng 広sìng¹ hói yam¹ ngok³ teng¹
せいかいおんがくちょう／シンハァイインユゥエティン／シンホオイヤアムンゴッテェン

　　珠江のほとりにある、近代中国を代表する音楽家の冼星海
(1905〜45年)の名前を冠した星海音楽庁。冼星海は、嶺南大学
で学んだあと、北京、上海、フランスへと遷り、1935年に帰国
した。1938年に延安に到着し、日中戦争のさなかに作曲家と
して多くの曲をつくった。そのなかでも『黄河大合唱』『在太
行山上』などが知られる。この星海音楽庁は1998年に建てら
れ、シンフォニーホール、室内楽ホールなどからなる。

★★★
天河／天河 ティエンハア／ティンホォ
珠江新城／珠江新城 チュウジィアンシンチャン／ジュウゴオンサアンシン
広州塔(広州タワー)／广州塔 グゥアンチョウタア／グゥオンジョウタアッ

★★☆
東山／东山 ドンシャン／ドォンサアン
広州起義烈士陵園／广州起义烈士陵园 グゥアンチョウチィイリイエシィリィンユゥエン／グゥオンジョウヘェイイイリッシイリンユン
広州大劇院(広州オペラハウス)／广州大剧院 グゥアンチョウダアジュウユゥエン／グゥオンジョウダアイケッユウン

★☆☆
二沙島／二沙岛 アァシャアダァオ／イィサアドォウ
頤養園旧址／颐养园旧址 イイユァンユゥエンジゥチイ／イィヤォンユンガオジイ
広東美術館／广东美术馆 グゥアンドンメイシュウグゥアン／グゥオンドォンメイサゥグゥン
星海音楽庁／星海音乐厅 シンハァイインユゥエティン／シンホオイヤアムンゴッテェン
東山湖／东山湖 ドンシャンフウ／ドォンサアンウゥ
大沙頭／大沙头 ダアシャアトォウ／ダアイサアタァウ
基督教東山堂／基督教东山堂 ジイドゥウジィアオドォンシャンタァン／ゲエイドッガアオドォンサアンアントン
亀崗商業街／龟岗商业街 グゥイガァンシャンイィエジエ／グァアイゴオンソォンイッガアイ
寺右新馬路／寺右新马路 スウヨォウシンマアルウ／ジィヤゥサアンマアルウ
楊箕村／杨箕村 ヤァンジイツゥン／ヤァングエイチュゥン
中山路／中山路 チョンシャンルウ／ジョオンサアンルウ
海心沙／海心沙 ハァイシィンシャア／ホオイサアムサア

ツインタワーの広州西塔と東塔が天河の空を彩る

こちらは珠江の石がイメージされた広州大劇院

こちらは珠江対岸にそびえる高さ600mの広州塔

香港の財閥による広州周大福金融中心

Tian He
天河城市案内

広州古城から東に位置する天河
目を見張るような巨大建築が林立し
珠江の対岸には高さ600mの広州塔がそびえる

天河／天河★★★
北tiān hé 広tin¹ ho⁴
てんか／ティエンハア／ティンホォ

　広州天河は1985年以降、大規模な開発がはじまった新市街で、またたく間に広州の政治、経済、文化の中心へと台頭した。かつて広州古城の東郊外に位置する天河には、宋代に中原の戦火をさけて北方から逃れてきた人たちによる集落が点在するばかりだった(それらは広州市街の拡大とともに城中村となっている)。明清時代にもこの地は広州郊外の田園地帯に過ぎなかったが、中華民国時代の1928年に現在の天河体育中心の場所に天河空港がつくられた。1978年、資本主義の要素をとり入れる改革開放がはじまると、広州では東郊外のこの天河が開発区に選ばれた。香港やマカオ、西側諸国、華僑などから投資が続き、それにともなって周囲の漢族や少数民族も機会を求めて天河に流入してきた。北端の広州東駅から、珠江に面した珠江新城、珠江南岸の広州塔(高さ600m)まで続く中軸線をもとに大規模な街区が整備され、広州国際金融中心、広州大劇院、広東省博物館新館などが建てられていった。現在、摩天楼を描く珠江新城は広州の象徴的存在となっていて、「天河を得た者は、広州を得る」とも言われている。

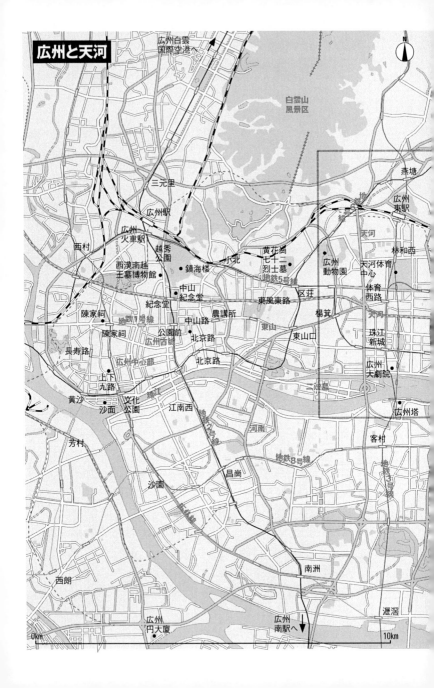

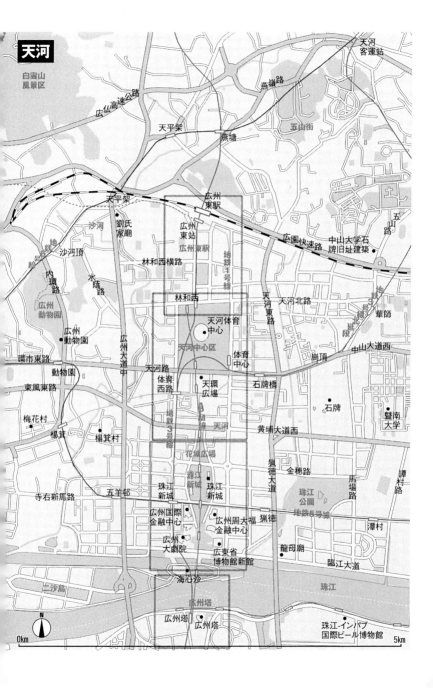

天河

白雲山
風景区

天河
客運站

燕嶺路

五山街

広仏高速公路

天平架

燕塘

広州
東駅

広州
東站

広州東駅

広園快速路

中山大学石
牌旧址建築

沙河

劉氏
家廟

五
山
路

沙河頂

林和西横路

水蔭路

内環路

広州
動物園

林和西

天河体育
中心

天河北路

天河
東路

華師

環市東路

広州
動物園

天河中心区

体育
中心

崗頂

中山大道西

動物園

東風東路

天河路
体育
西路

天環
広場

天河

環
広場

石牌橋

石牌

暨南
大学

梅花村

黄埔大道西

楊箕

楊箕村

花城広場

猟徳
大道

金穂路

馬場路

譚村路

五羊邨

珠江
新城

珠江
新城

猟徳

珠江
公園

寺右新馬路

広州国際
金融中心

広州周大福
金融中心

潭村

広州
大劇院

広東省
博物館新館

龍母廟

臨江大道

海心沙

珠江

二沙島

広州塔

広州塔

広州塔

珠江・インパク
国際ビール博物館

N

0km   5km

天河の歴史

　　広州東郊外の天河地区は、南宋時代に中原の戦禍を逃れ
て、南遷してきた人たちの集落が点在していたが、明清時代
までほとんど何もなかった（野菜やたけのこ、青菜などがとれる農
民たちが農作業をする田園風景が広がっていた）。ただし、天河は華

★★★
天河／天河 ティエンハア／ティンホォ
珠江新城／珠江新城 チュウジィアンシィンチャン／ジュウゴオンサアンシン
広州塔 (広州タワー)／广州塔 グゥアンチョウタア／グゥオンジョウタアッ

★★☆
広州国際金融中心／广州国际金融中心 グゥアンチョウグゥオジィジンロンチョンシン／グゥオンジョウグゥォッザイガアムユンジョオンサアム
広州周大福金融中心／广州周大福金融中心 グゥアンチョウチョウダアフウジィンロンチョンシィン／グゥオンジョウジョウダアフゥッガアムユンジョオンサアム
広州大劇院 (広州オペラハウス)／广州大剧院 グゥアンチョウダアジュウユユエン／グゥオンジョウダアイケッユウン
広東省博物館新館／广东省博物馆新馆 グゥアンドォンシェンボオウゥガンシングァン／グゥオンドォンサアンボッマッグゥンサアングゥン
東山／东山 ドォンシャン／ドンサアン
小北／小北 シィアオベェイ／シィウバッ
黄花崗七十二烈士墓／黄花岗七十二烈士墓 ファンファガンチシィアアリエシィムウ／ウォンファアゴォンチャッサッイィリッシィモウ
広州動物園／广州动物园 グゥアンチョウドンウゥユユエン／グゥオンジョウドォンマッユン

★☆☆
広州東駅／广州东站 グゥアンチョウドォンチャアン／グゥオンジョウドォンジャアム
天河路／天河路 ティエンハアルウ／ティンホォロウ
天環広場／天环广场 ティエンフゥアングゥアンチャアン／ティンワアングゥオンチャアン
天河体育中心／天河体育中心 ティエンハアティイユウチョンシン／ティンホォタアイヨッジョンサアム
花城広場／花城广场 フゥアチャングゥアンチャアン／ファアシィングゥオンチャアン
海心沙／海心沙 ハイシィンシャア／ホオイサアムサア
珠江-インバプ国際ビール博物館／珠江-英博国际啤酒博物馆 チュウジィアンインインボオグゥオジィビイジィウボオウゥグゥアン／ジュウゴオンイインボッグゥォッザイベェビザオボッマッグゥン
暨南大学／暨南大学 ジイナンダアシュエ／ケェイナアムダアイホッ
石牌／石牌 シイパアイ／セッパアイ
珠江公園／珠江公园 チュウジィアンゴォンユユエン／ジュウゴオンゴォンユン
龍母廟／龙母庙 ロォンムウミィアオ／ロォンモォウミィウ
中山路／中山路 チョンシャンルウ／ジョオンサアンロウ
東風東路／东风东路 ドォンフェンドォンルウ／ドォンフォンドォンロウ
沙河／沙河 シャアハア／サアホォ
劉氏家廟／刘氏家庙 リィウシイジィアミィアオ／ラオシィガアミィウ
楊箕村／杨箕村 ヤァンジイツゥン／ヤァンゲエイチゥン
梅花村／梅花村 メェイフゥアツゥン／ムゥイファアチゥン
二沙島／二沙岛 アアシャアダァオ／イイサアドォウ
寺右新馬路／寺右新马路 スウヨウシィンマアルウ／ジィヤウサアンマアロウ

南最大都市の広州から東に向かう者が必ず通らなくてはいけない交通の要衝という性格をもち、街道（省道）を往来する人の姿があった。1911年の辛亥革命にともなって、広州古城から東の地域（東山）が開発されるようになり、1928年、この天河に天河空港の建設がはじまり、1938年の日本占領後も空港は拡大された。また1940年に現在の広州東駅がつくられ、当時は天河駅といった。空港があった場所が現在の天河体育中心で、1920年代に近くにあった天河村から名前がとられ、それが現在の天河区の地名となっている。1949年の新中国建国後、天河は広州市郊外の一部となったが、改革開放の流れを受けて香港に隣接する深圳の建設がはじまり、続いて1985年に天河が開発区に選ばれ、珠江デルタ（広東省）はいちじるしい発展を見せた。珠江新城や高層ビル、広州塔の建設、郊外の大型テーマパークや広州交易会の新たな会場の広州市国際会議展覧中心など、それまでにない大規模な街区が現れ、西側の広州市街とひとつながりとなった。こうして天河が、21世紀の広州の政治、経済、文化の中心地となり、現在は超高層ビルが林立する珠江デルタの心臓部という性格をもっている。広州市街の拡大とともに、古くからあった天河地区の沙河街、五山街、員村街、車陂街、石牌街、天河南街、林和街などは城中村（街のなかに村がある）と呼ばれている。

天河の構成

　天河という地名は、現在の天河体育中心（天河空港）の場所にあった天河村からとられている。1911年の辛亥革命にともなって東山をはじめとする広州東部の発展がはじまり、1940年に現在の広州東駅にあたる天河駅が建設された。天河が現在の姿になったのは、改革開放の流れを受けて新市街をつくることが決まった1985年以後のこと。かつての天河村（天河体育中心）と広州東駅を結ぶ軸線上に巨大な街区、広

州古城の中軸線(越秀山から天字碼頭)に対するもうひとつの新たな中軸線が形成された。北は燕嶺公園から広州東駅、天河体育中心、珠江新城をへて、珠江にいたり、海珠区の広州塔へと伸びる。このうち、かつて天河村のあった天河体育中心すぐ南側の天河路沿いに、広州天河城、天環広場といった巨大ショッピングモールがならび、ここを「天河中心区」と呼ぶ。その南側に珠江まで伸びる花城広場が配置され、このあたりがより新しく開発された「珠江新城」となっている。花城広場はちょうど左右対称をなす南北に長い楕円形となっていて、広州国際金融中心(広州西塔)と広州周大福金融中心(広州東塔)がそびえ、その足元には広州大劇院、広東省博物館新館などの大型公共施設が集まっている。また海心沙と珠江の先には高さ600mの広州塔がそびえていて、これらの高層建築群が摩天楼をつくっている。また天河の発展、広州市街の東進化にあわせて、広州交易会の行なわれる広州国際会議展覧中心も天河対岸(南東)に位置し、こうした新市街のあいだに、明清時代以来の城中村(集落)が残るという構成になっている。

Guang Zhou Dong Zhan

広州東駅城市案内

香港と広州を結ぶ九広鉄路の駅であり
天河の玄関口でもある広州東駅
ここから南に広州新市街の街並みが広がる

広州東駅／广州东站★☆☆

Ⓜguǎng zhōu dōng zhàn　Ⓗgwóng jau¹ dung¹ jaam³
こうしゅうひがしえき／グゥアンチョウドォンチャアン／グゥオンジョウドォンジャアム

　天河新市街をつらぬく中軸線上の北端に位置し、香港と
広州を結ぶ九広鉄路の発着点となっている広州東駅。も
ともと明清時代の林和村(現在の城中村)があったところで、
1940年に建てられた天河駅を前身とする。当時の九広鉄路
の広州側の駅は、今はない大沙頭駅(広州古城すぐ外)にあり、
現在の広州駅が完成するとこの駅が広州東駅と呼ばれた。
その後、旧広州東駅(大沙頭駅)は撤去され、1988年に天河駅が
広州東駅と改名された。天河地区の開発が進むなか、1996
年に新しく現在の姿で再建されると、この広州東駅が香港、
深圳、東莞と広州を結ぶ九広鉄路の広州側の駅となった。現
在は多くのビジネスマンや旅行者が広州への第一歩を踏み
出すこの街の玄関口となっていて、駅前は大型ショッピン
グモールがならぶ商圏を構成している。

九広鉄路とは

　香港九龍と広州を結ぶ鉄道を、両者の頭文字をとって九
広鉄路と呼ぶ(中国側では、広州を先にして広九鉄路と呼ぶ)。アヘン
戦争(1840〜42年)後に香港がイギリスに割譲されると、この

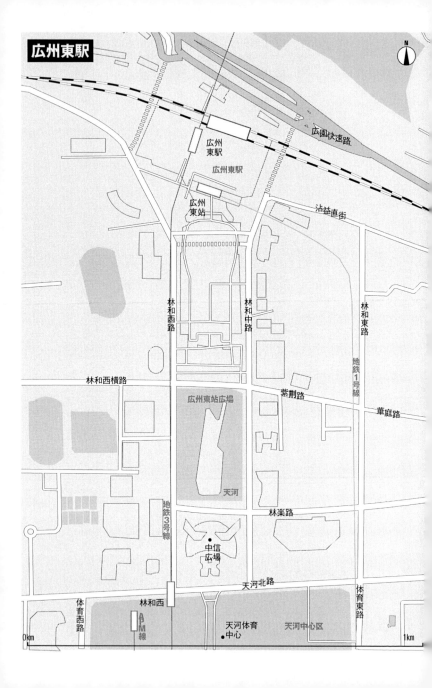

植民都市は急速に発展し、1842年の香港島に続いて、1860年の九龍半島、1889年の新界というように植民地の領土は増えていった。イギリスはかねてより、この香港と華南最大の街で広東省省都の広州を結ぶ鉄道の建設を考えていて、1899年、九広鉄路敷設の権利を中国(当時の清朝)側から得た。こうして1911年に九広鉄路が完成し、当時の広州駅は広州古城南東外側の大沙頭(大沙頭駅)にあった。そして、イギリス領香港と中国の境界線に位置したのが、のちに大発展を見せる深圳だった。1838年、広州を占領した日本軍は天河空港を修建し、そのときそれまでの九広鉄路の東山～石牌(現在の天河)間の線路を撤去し、北側の沙河をまわって石牌にいたる線路を整備して、新たな九広鉄路と広北連絡線との分岐点に天河駅をもうけた。この天河駅が現在の広州東駅の前身で、1996年に新しい広州東駅が再建されると、香港、深圳、東莞へと続く九広鉄路の広州側の起点となった。

★★★
天河／天河 ティエンハア／ティンホォ

★☆☆
広州東駅／广州东站 グゥアンチョウドォンチャアン／グゥオンジョウドォンジアアム
天河体育中心／天河体育中心 ティエンハアティイユウチョンシン／ティンホォタアイヨッジョオンサアム

広州と香港九龍を結ぶ九広鉄路

広州東駅は東莞、深圳、香港方面へのアクセスポイントでもある

天河体育中心、このあたりは天河はじまりの地でもある

広州東駅を北端とする中軸線が南に伸びる

天河中心区城市案内

かつて広州東郊外にのどかな田園が広がっていたころ
このあたりには天河村という小さな集落があった
そして集落は高層ビルの林立する新市街の名前として残った

天河路／天河路★☆☆
🄽tiān hé lù 🄖tin¹ ho⁴ lou³
てんかろ／ティエンハアルゥ／ティンホォロウ

　天河南北をつらぬく中軸線に対して、東西に走る軸線の天河路。1920年代、この地にあった集落の天河村にちなんで名づけられ、今では天河区全体の名前となっている。1985年に天河の開発がはじまると、都市の中心を建設することになり、かつての天河空港にあたる天河体育中心のすぐ南側に東西2km弱の天河路が整備された(西側は20世紀後半の新市街、環市東路に接続する)。そして中国初のショッピングモールである天河城がこの通りに生まれ、やがて正佳広場、太古匯も天河路で開業した。天河CBD商圏を形成し、南側には花城広場、珠江新城の摩天楼が見られる。

天環広場／天环广场★☆☆
🄽tiān huán guǎng chǎng 🄖tin¹ waan⁴ gwóng cheung⁴
てんかんひろば／ティエンフゥアングゥアンチャアン／ティンワアングゥオンチャアン

　広州天河の南北の中軸線と、東西の天河路が交わる風水上すぐれた地に位置する天環広場(パーク・セントラル)。珠江新城に高層ビルがたちならぶなか、中央に庭園をもつ低層建築で、2匹の鯉がたわむれるような建築設計となっている。著名ブランド、世界的な料理店、ショップ、レストラン、映画

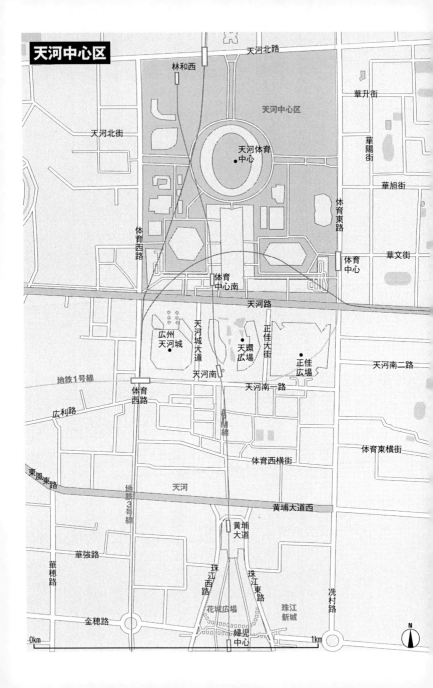

館が入居する。

正佳広場／正佳广场 ★☆☆
㊗zhèng jiā guǎng chǎng　㊟jing² gaai¹ gwóng cheung⁴
せいかひろば／チェンジィアグゥアンチャアン／ジィンガアイゴゥオンチャアン

　天河城、天環広場とともに天河商圏をつくるショッピングモールの正佳広場。ブランドや雑貨などのショップ、グルメ、レジャー、エンターテインメントなどが同時に楽しめ、広州最大規模のショッピングモールでもある。天河ビジネス街の中心地に位置する。

広州天河城／广州天河城 ★☆☆
㊗guǎng zhōu tiān hé chéng　㊟gwóng jau¹ tìn¹ ho⁴ sing⁴
こうしゅうてんかじょう／グゥアンチョウティエンハアチャン／グゥオンジョウティンホオシン

　1985年に天河開発がはじまって10年後の1996年に建設された広州天河城。当時の天河地区はまだそれほど開発されておらず、いち早くこの地に広州天河城が開業した。ショッピングモールという形態は中国本土でははじめての試みだったという。レストランやショップの入居する天河の老舗大型店舗となっている。

★★★
天河／天河 ティエンハア／ティンホォ
珠江新城／珠江新城 チュウジィアンシンチャン／ジュウゴオンサアンシィン
★☆☆
天河路／天河路 ティエンハアルウ／ティンホォロウ
天環広場／天环广场 ティエンフゥアングゥアンチャアン／ティンワアングゥオンチャアン
正佳広場／正佳广场 チェンジィアグゥアンチャアン／ジィンガアイゴゥオンチャアン
広州天河城／广州天河城 グゥアンチョウティエンハアチャン／グゥオンジョウティンホォシン
天河体育中心／天河体育中心 ティエンハアティユウチョンシン／ティンホォタアイヨッジョオンサアム
花城広場／花城广场 フゥアチャングゥアンチャアン／ファアシィングゥオンチャアン
東風東路／东风东路 ドォンフェンドォンルウ／ドォンフォンドォンロウ

天河体育中心／天河体育中心 ★☆☆

北tiān hé tǐ yù zhōng xīn　広tin¹ ho⁴ tái yuk³ jung¹ sam¹
てんかたいいくちゅうしん／ティエンハアティイユウチョンシン／ティンホォタアイヨッジョオンサアム

　サッカーや陸上競技などが行なわれるスタジアムの天河体育中心。広州東駅南側、天河の中心部に立ち、この地が実質的に天河はじまりの地であったと言える。1928年、天河体育中心の地に国民革命軍（中国国民党の軍）が空港建設をはじめ、1938年に日本が広州を占領すると、ここは日本軍の空軍基地となった。その後、1949年12月に広州が解放されると、天河空港は人民解放軍の空軍に引き継がれたが、やがて1960年に役割を終えた。1984年、この空港跡地にスポーツセンターの建設が決まり、1987、天下体育中心は完成した。改革開放が進む中国にあって、最初の大規模な総合スポーツセンターで、2010年の広州アジア競技大会の舞台にもなっている。

Zhu Jiang Xin Cheng

珠江新城城市案内

珠江に面する新しい街（城）を意味する珠江新城
著名建築家による大型現代建築
さながら未来都市を思わせる圧巻の街並み

珠江新城／珠江新城★★★

⊕zhū jiāng xīn chéng ⊕jyu¹ gong¹ san¹ sing⁴
しゅこうしんじょう／チュウジィアンシィンチャン／ジュウゴオンサアンシィン

　広州新市街の天河の核心区とも言えるのが珠江新城で、超高層ビルが林立して摩天楼を描いている。1992年、広州天河の中心軸と珠江の交差点に位置する珠江新城の建設がはじまり、香港など内外のデベロッパーが投資して、人やもの、資金が集まってきた。珠江新城の西半分は北側の天河中心区とともに新しい広州CBD（中央商務区）を構成し、東半分は居住地区とされた。20年にわたる計画と開発で、2009年の高さ600mの広州塔（小蛮腰）、2010年の高さ440.75mの広州西塔（広州国際金融中心）、2014年の高さ530mの広州東塔（広州周大福金融中心）完成というように、街の様子は変貌し、新たな都市の象徴的存在となった。珠江新城には双子塔をはじめ、金融やビジネスの機能をもつ高層ビル群、著名建築家による大型公共施設、アメリカ、イギリス、ドイツ、カナダなどの領事館などが集まっている。また華南の政治、経済、文化の中心地として、広東省、香港、マカオを一体化させる粤港澳大湾区（グレーター・ベイエリア）を牽引する存在となっている。

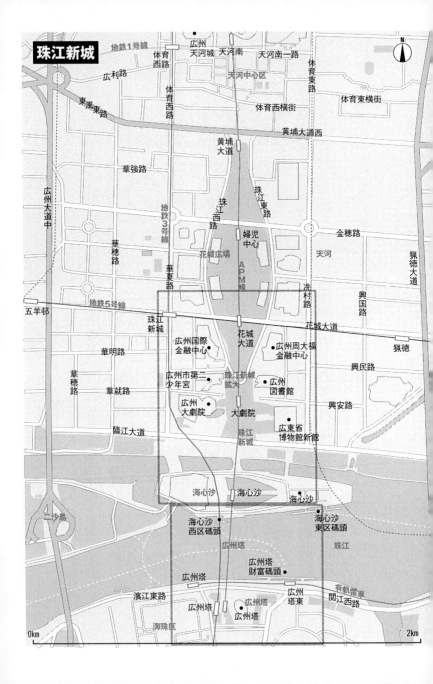

珠江新城拡大

花城広場

珠江新城

地鉄5号線

花城大道

花城大道

珠江西路

珠江東路

華夏路

広州国際
金融中心
(広州西塔)

広州周大福
金融中心
(広州東塔)

APM線

天河

広州市第二
少年宮

広州
図書館

華就路

洗村路

大劇院

興安路

広州
大劇院

広東省
博物館新館

地鉄3号線

臨江大道

珠江新城

珠江

海心沙

海心沙

海心沙

0km

2km

N

花城広場／花城广场 ★☆☆

⑱huā chéng guǎng chǎng ⑲fa¹ sing⁴ gwóng cheung⁴

かじょうひろば／フゥアチョングゥアンチャアン／ファアシィングゥオンチャアン

　　天河中心区の南側から珠江新城をへて、珠江にいたる中軸線上に展開する花城広場。この中心軸は山、水、森といった自然景観を生かして設計され、広州の古名である「花城」の名前がつけられた。緑豊かな都市のオープンスペースとなっていて、広州東塔と西塔がそびえるなか、中心をAPM線が走る。

広州国際金融中心／广州国际金融中心 ★★☆

⑱guǎng zhōu guó jì jīn róng zhōng xīn ⑲gwóng jau¹ gwok² jai² gam¹ yung⁴ jung¹ sam¹

こうしゅうこくさいきんゆうちゅうしん／グゥアンチョウグゥオジィジンロンチョンシン／グゥオンジョウグゥオッザイガアムユンジョオンサアム

　　広州国際金融中心（広州西塔）は、東側の広州周大福金融中心（広州東塔）と双子塔を構成し、珠江対岸の広州塔とともに天河珠江新城の摩天楼をつくっている。広州天河のシンボルのひとつであり、東塔よりも早い2003年1月22日に完成

★★★
天河／天河 ティエンハア／ティンホォ
珠江新城／珠江新城 チュウジィアンシィンチャン／ジュウゴオンサアンシィン
広州塔（広州タワー）／广州塔 グゥアンチョウタア／グゥオンジョウタアッ

★★☆
広州国際金融中心／广州国际金融中心 グゥアンチョウグゥオジィジンロンチョンシン／グゥオンジョウグゥオッザイガアムユンジョオンサアム
広州周大福金融中心／广州周大福金融中心 グゥアンチョウチョウダアフウジンロンチョンシィン／グゥオンジョウジョウダアイフゥガガアムユンジョオンサアム
広州大劇院（広州オペラハウス）／广州大剧院 グゥアンチョウダアジュウユゥエン／グゥオンジョウダアイケッユウン
広東省博物院新館／广东省博物馆新馆 グゥアンドォンシェンボウゥガンシィングァン／グゥオンドォンサアンボッマッグゥンサアングゥン
広州市第二少年宮／广州第二少年宫 グゥアンチョウディアアシャオニィエンゴォン／グゥオンジョウダアイイィシィウニィングゥオン

★☆☆
広州天河城／广州天河城 グゥアンチョウティエンハアチャン／グゥオンジョウティンホォシィン
花城広場／花城广场 フゥアチャングゥアンチャアン／ファアシィングゥオンチャアン
広州図書館／广州图书馆 グゥアンチョウトゥウシュウグゥアン／グゥオンジョウトォウシュウグゥン
海心沙／海心沙 ハァイシィンシャア／ホオイサアムサア
東風東路／东风东路 ドォンフェンドォンルウ／ドォンフォンドォンロウ
二沙島／二沙岛 アアシャアダァオ／イィサアドォウ

した。ガラスのカーテンウォールでおおわれた姿は、剣の刃のようでもあり、丸みをおびた三角形が伸びあがる103階建て、高さは440.75mの超高層建築となっている(強い耐風性、耐震性をほこる)。4〜65階までがビジネスオフィス、69〜100階までが高級ホテルというように階層ごとの利用目的が異なる複合施設という性格をもつ。広州西塔と通称され、英語ではGuangzhou International Finance Center、日本語では広州国際金融センターと表記される。

広州周大福金融中心／广州周大福金融中心★★☆

彨guǎng zhōu zhōu dà fú jīn róng zhōng xīn 彨gwóng jau¹ jau¹ daai³ fuk¹ gam¹ yung⁴ jung¹ sam¹
こうしゅうしゅうたいふくきんゆうちゅうしん／グゥアンチョウチョウダアフウジィンロンチョンシィン／グゥオンジョウジョウダアフッガアムユンジョオンサアム

隣接する高さ440.75mの広州国際金融中心(広州西塔)に対して、それよりも100m高い、地上111階(地下5階)、高さ530mの広州周大福金融中心(広州東塔)。2014年に広州周大福金融中心が完成したことで、広州塔とあわせて3本のタワーが二等辺三角を描くようにそびえる広州珠江新城の景観ができあがった。周大福は、香港を拠点とする1929年創立の財閥系企業で、宝石や不動産をはじめ、香港・マカオなどでいくつもの事業を手がけている。広州周大福金融中心は広州の新たなビジネス拠点、流行発信地という性格をもち、ファッション、芸術、ショッピング、グルメなどを同時に体験できる。

広州大劇院(広州オペラハウス)／广州大剧院★★☆

彨guǎng zhōu dà jù yuàn 彨gwóng jau¹ daai³ kek³ yún
こうしゅうだいげきいん／グゥアンチョウダアジュウユゥエン／グゥオンジョウダアイケッユウン

天河珠江新城の河岸部に立ち、周囲に集まる文化施設のランドマークである広州大劇院(広州オペラハウス)。イラク系のイギリス人建築家ザハ・ハディドによる設計で、珠江の水に洗われた2つの霊石のように、河辺の小石や岩をイメージしたデザインになっている。この多目的劇場では、コンサー

彨141

珠江新城城市案内

トや歌劇が行なわれ、「広州芸術祭」「香港・マカオ・台湾・広東公演シーズン」「旧正月公演」などのイベントが1年を通して開催されている。その音響や設計は、国際的な指揮者や有名な劇団、演劇人、アーティストからも高い評価を受けている。

広東省博物館新館／广东省博物馆新馆★★☆

⑪guǎng dōng shěng bó wù guǎn xīn guǎn　⑫gwóng dung¹ sáang bok² mat³ gún san¹ gún

かんとんしょうはくぶつかんしんかん／グゥアンドォンシェンボォウゥガンシングァン／グゥオンドォンサアンボッマッグゥンサアングゥン

珠江のすぐそば、広州大劇院に対置するように立ち、黒の直方体という印象的な外観をした広東省博物館新館。広東省博物館は当初、広州古城（清代の広州貢院）にあったが、2003年、9億元を投じて、珠江新城に新たな広東省博物館を建設することが決まり、2010年に完成した。広東省の歴史と民俗、芸術、自然を展示し、入口には高さ8.8m、長さ20mの広東省の地図が設置されている。「広東歴史文化陳列」「広東省自然資源展覧（粤山秀水、豊物嶺南）」「端硯芸術展覧（紫石凝英）」「館蔵歴代陶瓷展覧（土火之芸）」「潮州木彫芸術展覧（漆木精華）」などから構成されていて、各所で手の混んだ展示が見られる。歴史館では青磚、満洲窓で彩られた広州西関の様子が再現され、芸術館では宋代の『群峰晴雪画』や『墨龍画』などの書画、北魏、隋唐や宋代の写経、元明から近現代に制作された多数の陶磁器がならんでいる。また自然館では「マッコウクジラの骨格」「灰色の六枚貝」「ティラノサウルス・レックスの頭蓋骨」といった化石の骨を収蔵する。この広東省博物館新館の建築内部は、高低差5～22mの空間が確保されていて、展示に必要な構造柱がないため、創造力あふれる展示方法が使用されている。外観のデザインは広東省の伝統工芸である象牙玉をモチーフとしているという。

特徴的な外観をもつ広東省博物館新館

著名建築家による広州オペラハウスこと広州大劇院

日本のチームが設計した広州図書館

天河の象徴的存在でもある広州国際金融中心（広州西塔）

広州市第二少年宮／广州第二少年宫★★☆

⑪guǎng zhōu dì èr shào nián gōng ⑫gwóng jau¹ dai³ yi³ siu² nin⁴ gung¹
こうしゅうしだいにしょうねんきゅう／グゥアンチョウディアアシャオニィエンゴォン／グゥオンジョウダァイイィシィウニィングゥオン

　珠江新城中心部に立つ美しい銀色の外観、曲線をもった建築の広州市第二少年宮。少年宮は、中国の小学生、中学生が遊戯、芸術、科学技術、体育、図書といった課外活動を行なう場所で、多くの人材やエリートを生み出してきた。湾曲した6階部分と正方形の7階部分の建築が組みあわされていて、上から見ると、中央に円形プランをもつ「K」の字をしている。また外側には、フェスティバルやイベントの内容を投影する巨大スクリーンもそなえられている。広州を代表する文化施設のひとつであり、2005年に完成した（広州第一少年宮は、広州古城の流花湖公園南側にある）。

広州図書館／广州图书馆★☆☆

⑪guǎng zhōu tú shū guǎn ⑫gwóng jau¹ tou⁴ syu¹ gún
こうしゅうとしょかん／グゥアンチョウトゥウシュウグゥアン／グゥオンジョウトォウシュウグウン

　広州塔、広州東塔と広州西塔が描く摩天楼の麓、博物館や大劇院が集まる広州の文化中心地の一角に立つ広州図書館。1000万冊を超える蔵書を誇る中国を代表する図書館で、資料の収集、保存、公開を目的とする。地下2階、地上10階(高さ44m)建ての図書館は、なかは8層分が吹きぬけとなっていて、棚は一般書籍、外国書、児童書、中国古典などにジャンルわけされている。建築自体は「美しい本」というコンセプトで設計されていて、本を積み重ねたようなふたつのジグザグの構造物が重なりあっている（また広州塔から広がる同心円状にそって、南側の壁が湾曲している）。

海心沙／海心沙★☆☆

⑪hǎi xīn shā ⑫hói sam¹ sa¹
かいしんさ／ハァイシィンシャア／ホオイサアムサア

　天河の中軸線上に位置し、珠江に浮かぶ巨大な岩礁「海珠

石」を埋めたててつくられた海心沙。海心沙は広州天河の東西軸と南北軸の交差点であり、南側に広州塔がそびえている。海心沙の舞台は、嶺南文化の振興と帆船がシンボル化されていて、2010年の第16回アジア競技大会の開会式と閉会式がここで行なわれた。また海心沙は、広州塔の位置する対岸との船が往来する碼頭でもある。

曲線が美しい建築の広州市第二少年宮

珠江に浮かぶ海心沙

広州塔城市案内

珠江のほとりにそびえる高さ600mの広州塔
腰をくねらせたような独特のたたずまいで
広州東塔、西塔とともに新たなランドマークでもある

広州塔（広州タワー）／广州塔★★★
北guǎng zhōu tǎ 広gwóng jau¹ taap²
こうしゅうとう／グゥアンチョウタア／グゥオンジョウタアッ

　広州天河の南北軸と珠江の東西軸が交わる地点に立つ広州塔（広州タワー）。本体が454mで、先端の146mのアンテナをあわせると600mの高さになる。ちょうど腰の部分が細くなっている塔身は、美しい女性の身体がイメージされていて、「小蛮腰（くびれた腰）」という愛称をもつ。この女性のスリムな曲線、やわらかな質感を表現するために、チューブ、構造物をうえに向かって45度回転させてあり、華奢な女性が身体をくねらせて振り返っているように見える。広州塔内部には高さ428mと高さ433mの地点に、ふたつのテーマ別展望台が配置されていて、360度さえぎるものがなく、広州の街全体を見渡すことができる。高速エレベーター、制振システム、雨水の再利用、風力発電、カーテンウォールによる太陽電池発電システムなど最新の技術をそなえ、商業施設、観覧車が付設されているほか、電波塔の役割も果たしている。2010年に対外開放された。

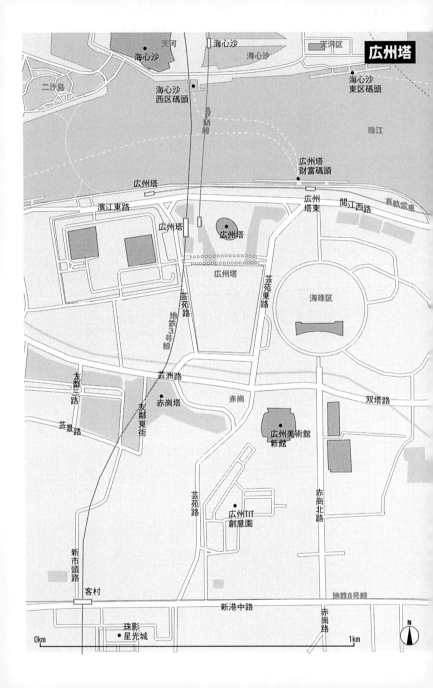

赤崗塔／赤岗塔 ★☆☆

北chì gǎng tǎ　広chek² gong¹ taap²

せきこうとう／チイガンタア／チェッゴオンタアッ

　広州塔(広州タワー)の南側にそびえ、「海のシルクロード」の起点、広州の名残りを思わせる赤崗塔。赤崗塔は明代の1619年に建てられ、「琶洲塔」「蓮華塔」とならんで広州の明朝三塔と呼ばれてきた。八角形の平面をもち、高さ53.7m(外側9層、内側17層)で、珠江岸辺に立ち、往来する船への灯台の役割を果たしてきた。この赤崗塔の塔身には、この地(赤砂岩の丘陵地こと赤崗)でとれる紅色砂礫岩が素材として使われていて、2010年に完成した広州塔と向かいあうように立っている。

広州TIT創意園／广州TIT创意园 ★☆☆

北guǎng zhōu TIT chuàng yì yuán　広gwóng jau'TIT chong² yi² yun⁴

こうしゅうてぃーあいてぃーそういえん／グゥアンチョウティーアイティーチュアンイイユゥエン／グゥオンジョウティーアイティーチョンイイユン

　20世紀に稼働していた広州紡績機械工場跡を前身とするクリエイティブ・パークの広州TIT創意園。もともとここには20以上の繊維機械工場があり、その後、官民一体となって1956年に広州紡績機械工場が設立された。古い工場の伝統的な「製造業」から、現代的な繊維、服装デザインの「知的製造業」へと生まれかわり、ファッション、クリエイティブ、テクノロジーをテーマとしたギャラリーとなっている。2007年に開放された。

夜は七色の光を放つ広州塔（広州タワー）

広州塔にはさまざまな仕かけが用意されている

天河東部城市案内

広州の代名詞とも言える広州交易会が
行なわれる広州国際会議展覧中心
都市のなかの村、城中村も点在する

広州国際会議展覧中心／广州国际会议展览中心★☆☆

⑪guǎng zhōu guó jì huì yì zhǎn lǎn zhōng xīn ⑫gwóng jau¹ gwok² jai² wui³ yi, jín laam, jung¹ sam¹

こうしゅうこくさいかいぎてんらんちゅうしん／グゥアンチョウグゥオジイフゥイイイチャンランチョンシン／グゥオンジョウグゥオッザイウィイイジインラアムジョオンサアム

　経済発展を続ける広州の存在感を示す、アジア最大規模
の展示場の広州国際会議展覧中心。2002年から使われてい
て、13の展示ホール、約13万平方メートルの展示面積(屋外
2万2千平方メートル)をもつ。1957年から続く広州交易会の舞
台でもあり、2004年の第95回からここ珠江南岸琶洲島の広
州国際会議展覧中心で開催されている。珠江新城、琶洲電商
区、広州科学城、広州大学城に近く、広州国際会議展覧セン
ター、琶洲展館、広州国際コンベンション&エキシビション
センターとも呼ぶ。

琶洲塔／琶洲塔★☆☆

⑪pá zhōu tǎ ⑫pa⁴ jau¹ taap²

びしゅうとう／パアチョウタア／パアジャオタッ

　古く珠江に浮かぶ小さな島であった琶洲に、明末の1600
年に建てられた琶洲塔。南宋時代、あたりの珠江は今の10
倍以上の幅があったといい、「小海」と呼ばれていた。その
後、堆積が進んでこの地にも沙州ができ、その輪郭が琵琶に
似ており、珠江の水が撫でるように島に打ち寄せるため、

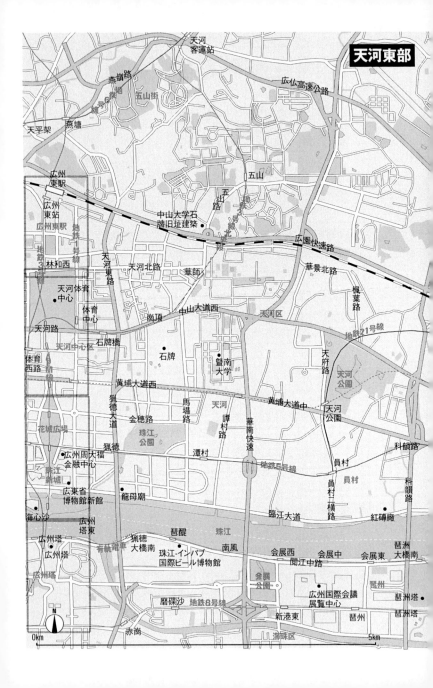

天河客運站

広仏高速公路

燕嶺路

五山街

天平架

燕塘

五山

広州東駅

五山路

広州東站

広州東駅

中山大学石牌旧建築

地鉄3号線

地鉄1号線

林和西

天河東路

天河北路

華師

広園快速路

華景北路

楓葉路

天河体育中心

体育中心

崗頂

中山大道西

天河区

天河路

石牌橋

天河中心区

石牌

曁南大学

地鉄21号線

天府路

体育西路

黄埔大道西

天河公園

天河公園

花城広場

猟徳大道

金穂路

馬場路

天河

黄埔大道中

珠江公園

猟徳

譚村路

華南快速

潭村

地鉄5号線

員村

科韻路

広州周大福金融中心

広東省博物館新館

龍母廟

員村一横路

員村

珠江新城

臨江大道

紅磚廠

科韻路

海心沙

広州塔東

猟徳大橋南

琶醍

珠江

南風

会展西

会展中

会展東

琶洲大橋南

広州塔

広州塔

有軌電車

珠江・インパブ国際ビール博物館

閲江中路

琶洲塔

広州塔

磨碟沙

地鉄8号線

金園公園

広州国際会議展覧中心

琶洲

琶洲塔

赤崗

新港東

閲江中路

琶州

琶洲塔

渝珠区

N

0km

5km

「琶洲」と名づけられた。もとの名を海鰲塔といい、琶洲塔の高さは50mあまり、外観が9層、内部が17層のたたずまいを見せる。1619年創建の赤崗塔とともに広州珠江岸辺の灯台の役割を果たし、清代には「琵琶海上洲」「琶洲砥柱」とたたえられ、羊城八景にも選ばれていた。

珠江-インパブ国際ビール博物館／珠江-英博国際啤酒博物館★☆☆

㋘zhū jiāng yīng bó guó jì pí jiǔ bó wù guǎn　㋏yu¹ gong¹ ying¹ bok² gwok² jai² be¹ jáu bok² mat³ gún

しゅごういんぱぶこくさいびーるはくぶつかん／チュウジィアンイィンボオグゥオジイピイジィウボオウウグゥアン／ジュウゴオンインボッグゥオッザイベェザァオボッマッグゥン

広州の珠啤集団とベルギーのアンハイザー・ブッシュ・インベブの協力によって設立された珠江-インパブ国際ビール博物館。入口にはビール広場があり、3階建ての博物館の

1階は多機能展示ホール、ショップ、ラウンジ、2階には珠啤館、未来館、総合展示場、3階はオフィスとして使用されている。広州国際会議展覧中心からすぐの距離に位置し、製造ラインから直接運んだ新鮮なビールが飲める。

紅磚廠／红砖厂 ★☆☆
北hóng zhuān chǎng 広hung⁴ jyun¹ chóng
こうせんしょう／ホンチュアンチャアン／ホォンジュウンチョオン

　20世紀、広州郊外の員村に位置する缶詰工場を前身とし、現在はアートやデザインの発信拠点となっている紅磚廠。1956年、第一次五カ年計画のもと、建設された旧ソ連様式の赤レンガの工場で、当時はアジア最大規模の缶詰工場だった。2009年、廃墟と化していた広東缶詰工場(紅特工場)内の冷蔵倉庫、包装倉庫などの産業遺産を利用するかたちで、ギャラリー、スタジオ、文化交流センターへと生まれかわった。

員村／员村 ★☆☆
北yuán cūn 広yun⁴ chyun¹
いんそん／ユゥエンツゥン／ユンチュウン

　員村は沙河、東圃、五山などとともに、広州天河が開発される以前からあった集落のひとつ。清代の1759年に重建された子富洗公祠が残っていて、郊外の市街地化の波を受けていることから、員村のような集落は「城中村(街のなかの村)」という。天河珠江新城に近い距離が注目され、広州の新たな国際金融拠点として注目されている。

暨南大学／暨南大学 ★☆☆
北jì nán dà xué 広kei² naam⁴ daai³ hok³
きなんだいがく／ジナァンダアシュエ／ケイナアムダアイホッ

　「華僑の最高学府」として知られる暨南大学。1906年に清朝が南京で設立した暨南学堂を前身とし、この学校は上海

街角に記されていたスローガン

美しい展示場の広州国際会議展覧中心

ここで中国最大規模の見本市、広州交易会が開かれる

に遷って国立暨南大となり、新中国建国後、1958年に広州で再建された（文革で中断されたのち、1978年に再開された）。暨南という名称は、『尚書・禹貢』に記された「東漸于海、西被于流沙、朔南暨、聲教訖于四海（東は海、西は流砂、北から南まで、天子の德は四海にいたる）」の四至説からとられている。香港、マカオ、台湾はじめ170か国以上から学生が集まっていて、広州、深圳、珠海に5つのキャンパスがある。

石牌／石牌★☆☆
㉜shí pái ㉟sek³ paai⁴
せきひ／シイパァイ／セッパアイ

　石牌は天河有数の歴史をもつ村で、南宋時代の1273年に薫氏が南遷してきたことで開村されたという。当時は薫村といい、現在の石牌村は、明代に創建され、清代には広州東郊外でもっとも大きな村となっていた。清代、あたりは農業に従事する人がほとんどで、水稲、惣菜、甘藷、花生、果物、薬草などの農賀市が石牌村で開かれたという。天河の拡大とともに城中村となり、大型ビルやショッピングモールが見られるようになったが、清朝初期に建てられた幅8.8m、奥行12mの玉虚宮、この村を開村した先祖をまつる薫氏宗祠、1674年に創建をさかのぼる藩氏宗祠、德華藩公祠などが残る。

珠江公園／珠江公园★☆☆
㉜zhú jiāng gōng yuán ㉟jyu¹ gong¹ gung¹ yun⁴
しゅこうこうえん／チュウジィアンゴオンユウエン／ジュウゴオングオンユン

　都市環境への配慮を目的に2000年に完成した緑豊かな緑地の珠江公園。公園の造営にあたって、湖を掘り、丘を積みあげて、大きな湖の周囲にさまざまな植物、生態系が配置された。珠江新城の東側に位置し、天河市民の想いの場となっている。

龍母廟／龙母庙 ★☆☆

北lóng mǔ miào 広lung⁴ mou, miu³
りゅうぼびょう／ロォンムウミィアオ／ロォンモォウミィウ

　珠江のそばを走る臨江大道と猟徳大道の交わる猟徳城中村（嶺南古村）に残る龍母廟。龍母は中国の南方で発達した道教の神仙で、百越族の信仰に由来するとも、名温媼という未亡人に由来するともいう。民間伝承、観音や南海の龍王などの要素と交わりながら、龍母信仰は珠江の水上居民にも受け入れられていった。この龍母廟は、いつ建てられたかわかっていないが、清代の1693年、1889年などに修建されている。幅9m、奥行25mで、龍母宮、大廟とも呼ぶ。

珠江の南岸、海珠区側を往来する路面電車(有軌電車)

開放的な気風をもつ街

南回帰線より南に位置する亜熱帯の世界
活発で、開放的な気風が育まれ
広東人は挑戦心旺盛な気質をもつ

開放的な気風

　華北の北京、華中の上海とならんで、華南を代表する都市、広州。この街の最大の特徴は、南海を通じて東南アジアやインドに通じる立地をもつことで、対外交易の拠点としての性格は始皇帝時代(紀元前3世紀)から続いている。10世紀の宋代以降は、広州から多くの人が華僑として東南アジアをはじめとする海外へ進出し、また中国の南の玄関口でもあることから、他の中国の街よりも早くイスラム教や西欧文明と接触することになった(ポルトガルがマカオを、イギリスが香港を獲得したのは、広州に近かったことによる)。このような歴史から、広州では開放的な気風が育まれ、商業がさかんで、「政治の都」北京とは人びとの気質やふるまい、言葉が違っていることが指摘される。

外資の進出する経済都市

　1949年の中華人民共和国成立以来、中国では共産主義や計画経済の体制がとられていたが、20世紀末になって経済発展を続ける香港や台湾、日本、西側諸国(資本主義)の要素をとりいれることが模索された。これが鄧小平指導のもとに進められた改革開放で、海外の資本が集まったことから、広

州の街も急拡大し、天河地区には超高層ビル群が林立するようになった。経済発展にあわせて地下鉄路線が網の目ように走り、2004年には広州白雲国際空港も開業して、インフラ面の整備もととのった。東南アジアへと続く地の利や、珠江デルタ後背地の規模の大きさ、深圳、香港に近いという魅力もあって、日本はじめ世界的な企業が広州へ進出している。

広州交易会

　春と夏に広州で開かれる中国出口商品交易会を広州交易会と呼ぶ。自動車などの工業製品はじめ、電化製品や雑貨、漢方薬まで中国全土からの品々が展示され、この見本市に世界中からバイヤーが集まる。1949年の新中国建国後、西欧の資本主義陣営が中国に課した禁輸措置を解除し、世界との交流の道を開く目的で、1957年春、広州交易会が創設された（歴史的に対外交易の窓口だった広州がその舞台に選ばれた）。以来、東西冷戦中も、アメリカや日本などの西側諸国に開かれた窓口という役割をになっていて、交易会に訪れるために香港から九広鉄路に乗って広州に入った。広州交易会が開かれる時期、世界中の商人、バイヤーがこの街に集まるため、広州のホテルの価格は大幅にあがり、それでも宿泊できないほどの混雑ぶりを見せる。地道に年を積み重ねてきた広州交易会も、改革開放後の20世紀末から飛躍的な発展をとげ、現在では広州郊外の広州国際会議展覧中心で開催されている。

華南の中心地という役割が期待されている広州天河

広東人の開拓者精神は孫文以前から受け継がれている

周代、5匹の羊に乗った仙人が五穀をもたらしたという

珠江のほとりでそびえる広州塔

『中国の実験』(エズラ・F・ヴォーゲル/日本経済新聞社)

『広州農民運動講習所址』(貝塚茂樹/改造)

『特集 仰天的中国 アメイジング・チャイナ』(建築文化)

『広州図書館：設計 日建設計+広州市設計院』(新建築 89(3))

『日本人のための広東語』(頼玉華著・郭文灝修訂/青木出版印刷公司)

『世界大百科事典』(平凡社)

『广州传统中轴线 文化遗产一本通』(广州传统中轴线提升工作越秀区建设指挥部办公室)

『广州市地名志』(广州市地名委员会《广州市地名志》编纂委员会编/广东科技出版社)

『忆述湮没了的旧"东山"』(吴裘/广州文史)

『广州市东山区志』(广州市东山区地方志编纂委员会编/广东人民出版社)

『广州市天河区志』(广州市天河区地方志编纂委员会编/广东人民出版社)

『华侨文化与东山区建设文化强区研讨会』(中共广州市東山区委宣传部编)

『天河区卷』(广州市文物普查汇编纂委员会・天河区文物普查汇编纂委员会编/广州出版社)

『越秀区卷』(广州市文物普查汇编纂委员会・越秀区文物普查汇编纂委员会编/广州出版社)

天河区门户网站・政务 http://www.thnet.gov.cn/

广州市越秀区人民政府门户网站 http://www.yuexiu.gov.cn/

广州文史 http://www.gzzxws.gov.cn/

广州图书馆 http://www.gzlib.org.cn/

北园酒家 http://www.beiyuancuisine.com/

执信中学 http://www.zhxhs.net/

广东美术馆 http://www.gdmoa.org/

广东省星海音乐厅官方 https://www.concerthall.com.cn/

广州大剧院 https://www.gzdjy.org/

广东省博物馆首页 http://www.gdmuseum.com/

广州国际金融中心 Guangzhou International Finance Center http://www.gzifc.com/

广州塔 http://www.cantontower.com

广州:tit创意园 - T.I.T创意园官方 https://www.cntit.com.cn/

广州动物园 https://www.gzzoo.com/

广州市少年宫、广州市第二少年宫、广州市第三少宫 http://www.61cn.org.cn/

[PDF] 广州地下鉄路線図 http://machigotopub.com/pdf/guangzhoumetro.pdf

OpenStreetMap

(C)OpenStreetMap contributors

『水上の民家(広東大沙頭)』(京都大学附属図書館所蔵) 部分

『広東珠江 池田実人氏筆』(京都大学附属図書館所蔵) 部分

『(広東)広東市内より沙面遠望』(京都大学附属図書館所蔵) 部分

『広東蛋民船』(京都大学附属図書館所蔵) 部分

『油彩広東省城風景』(京都国立博物館所蔵)「ColBase」収録

The Metropolitan Museum of Art https://www.metmuseum.org/

広州天河と東山／南天に煌く「七彩摩天楼」

まちごとパブリッシングの旅行ガイド

Machigoto INDIA , Machigoto ASIA , Machigoto CHINA

まちごとパブリッシングの旅行ガイド

まちごとパブリッシングの旅行ガイド

広州と華南

0km　　　　　　　　　　　　　　　　1000km

N

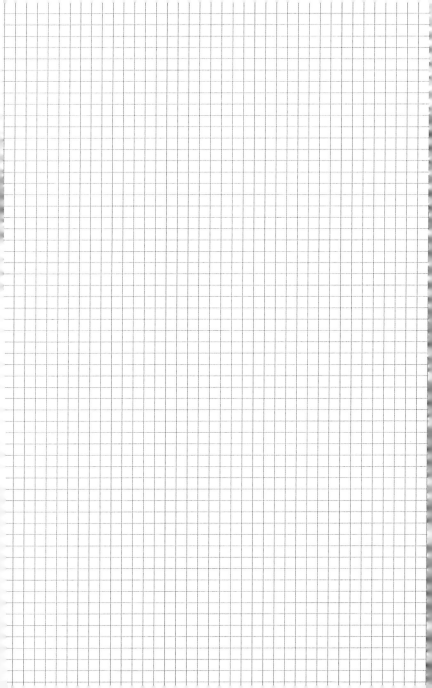

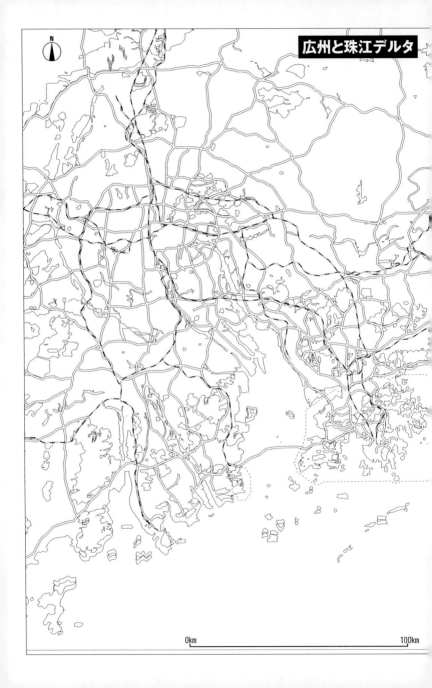

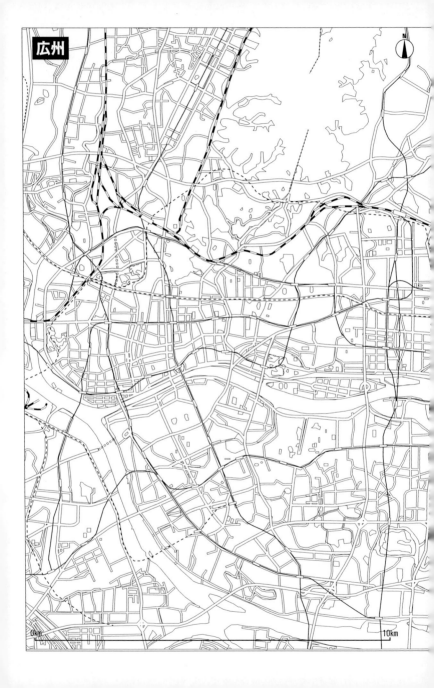

広州

0km　　　　　　　　　　　　　　　　　　　　　　　　　10km

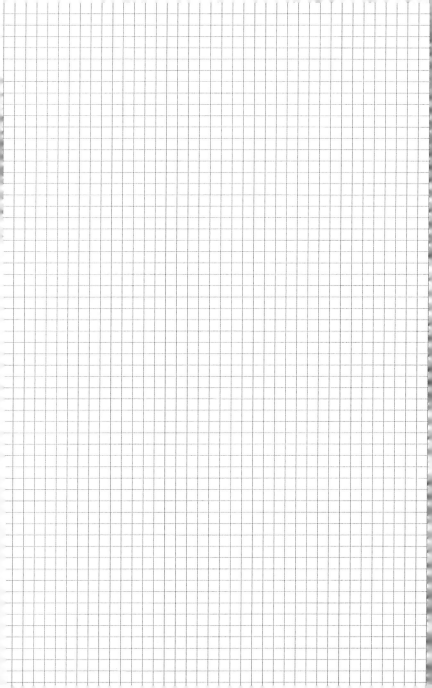

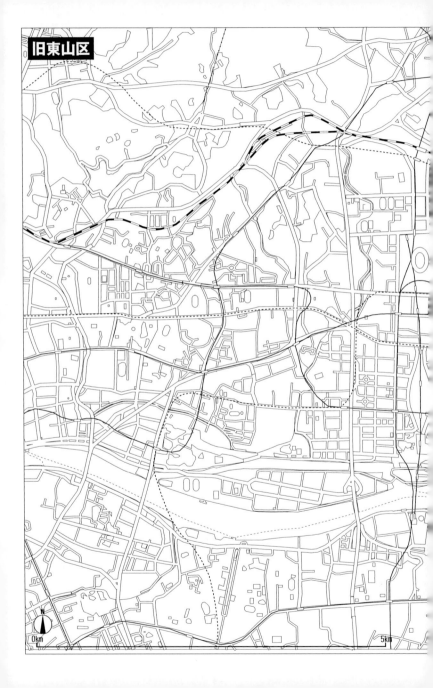

旧東山区

N

0km 5km

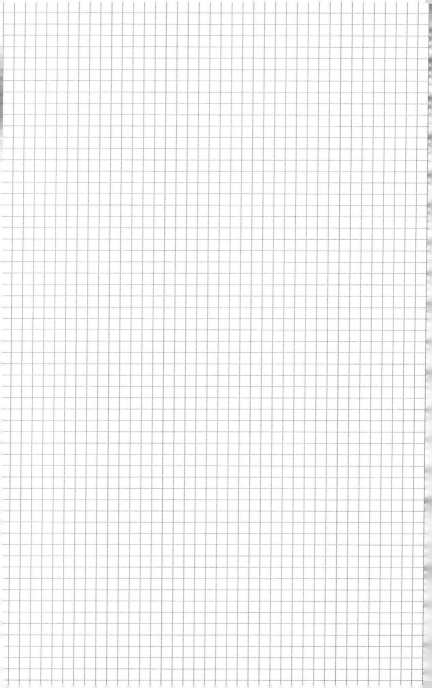

大沙頭

0km   1km

N

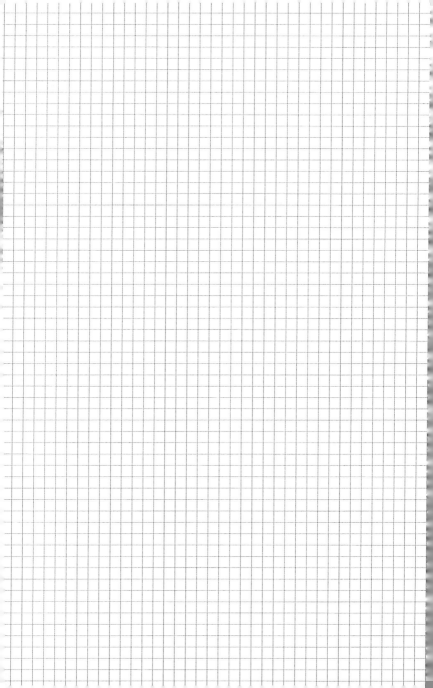

東皋大道

N

0m 500m

烈士陵園

0km

1km

N

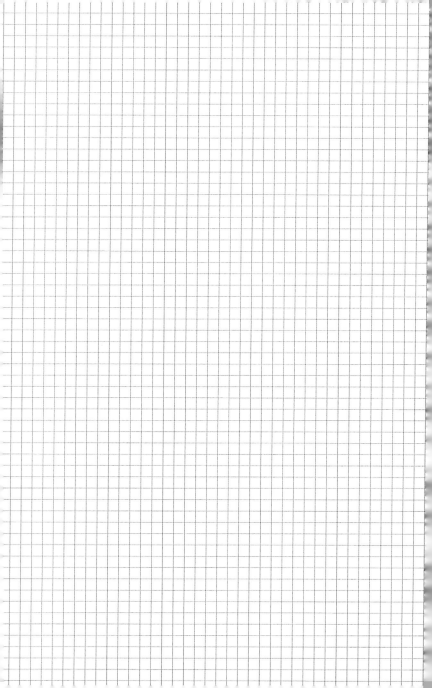

烈士陵園拡大

N

0m   500m

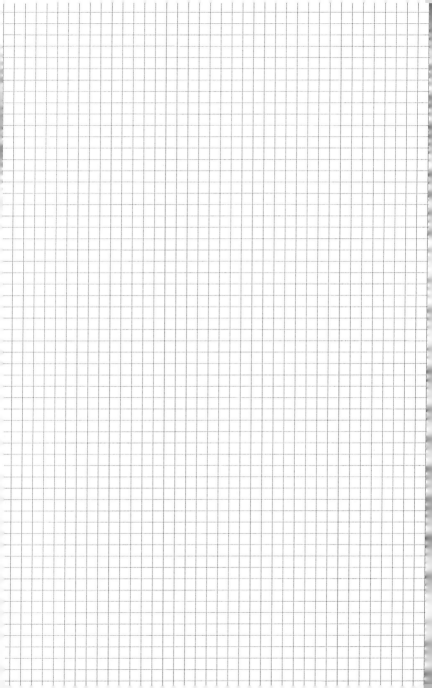

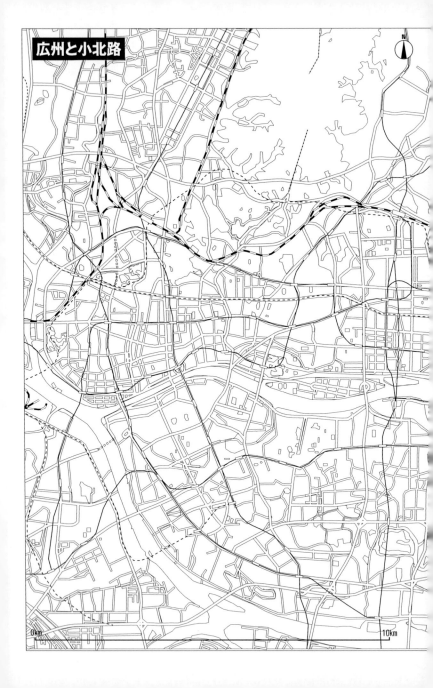

広州と小北路

小北路

N

0km   1km

環市東路

0km　　　　　　　　　　　　　　　　　1km

N

東山と環市東路

0km　　　　　　　　　　　　　　　　　3km

N

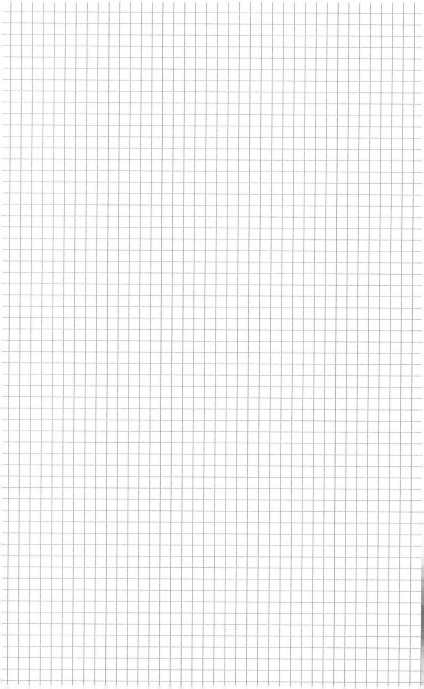

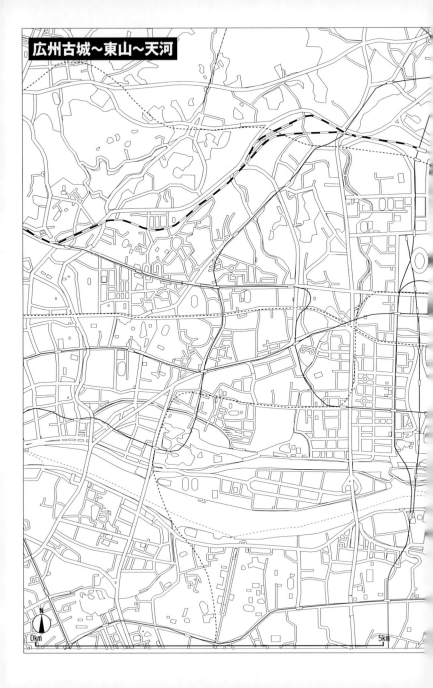

広州古城～東山～天河

0km

5km

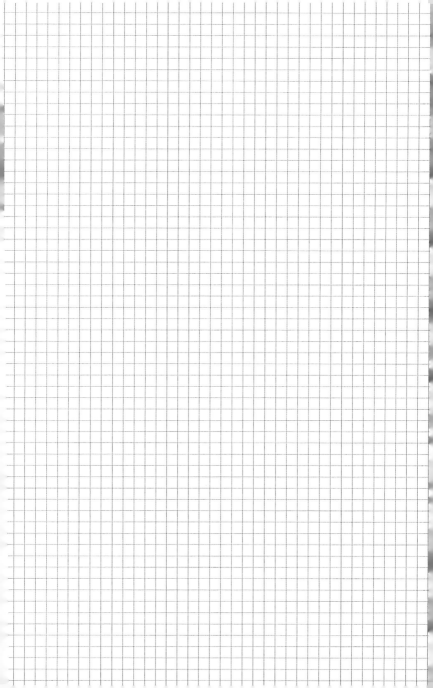

農林下路

N

0m   500m

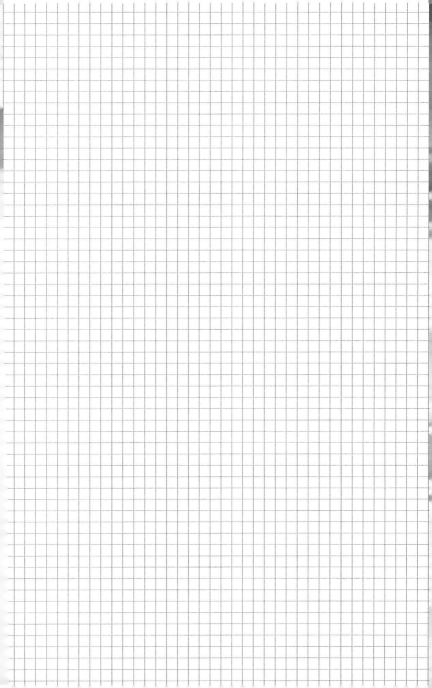

東山

0km   1km

N

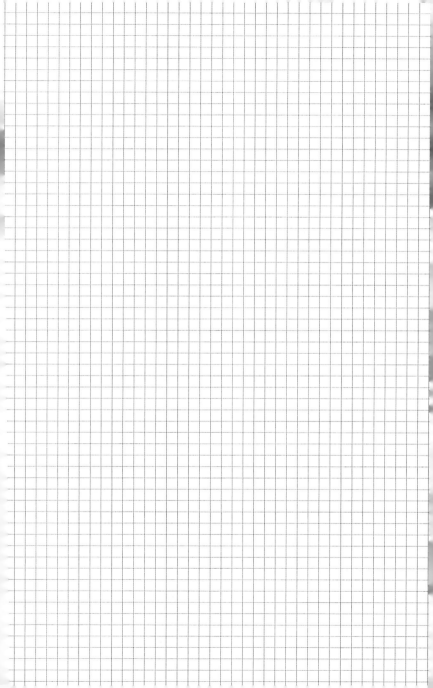

東山拡大

0m
500m

N

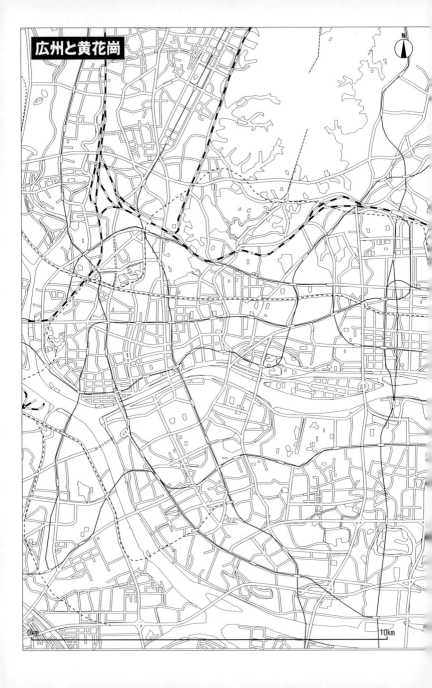

広州と黄花崗

0km

10km

黄花崗

0km　　　　　　　　　　　　　　　　1km

N

沙河

0km   1km

N

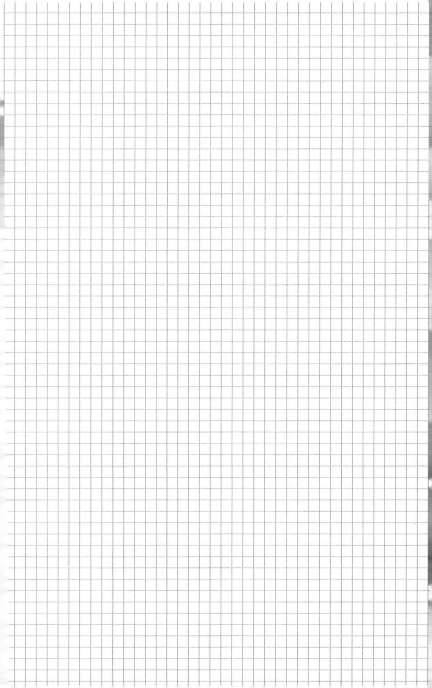

楊箕村

N

0km   1km

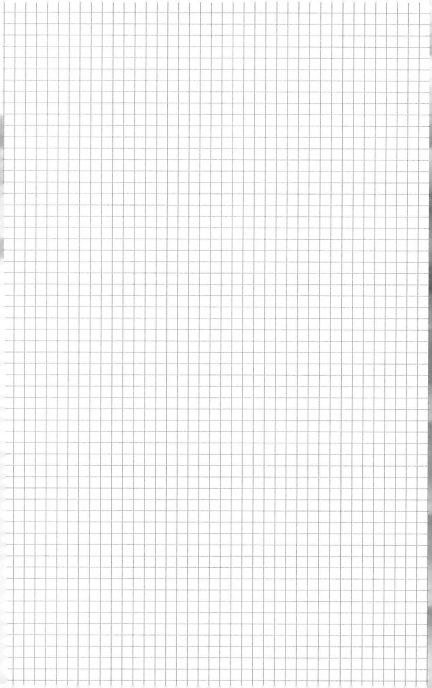

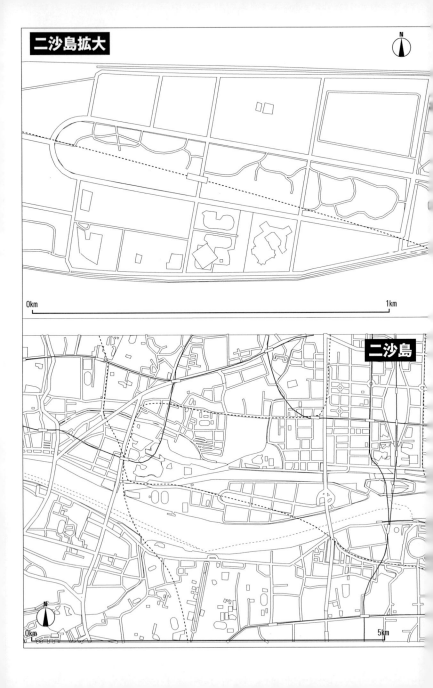

二沙島拡大

N

0km　　　　　　　　　　　　　　　　　　1km

二沙島

N

0km　　　　　　　　　　　　　　　　　　5km

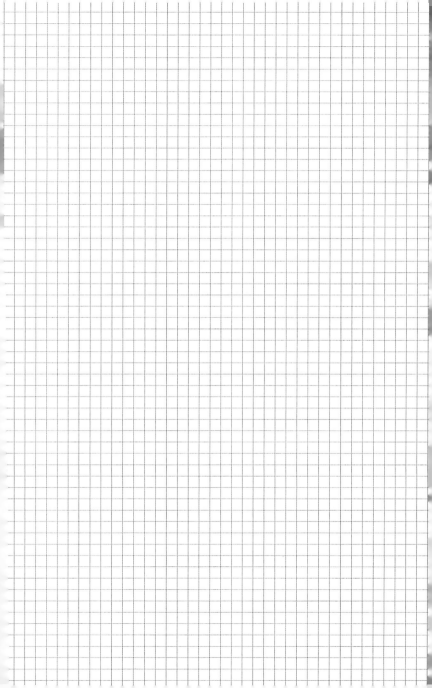

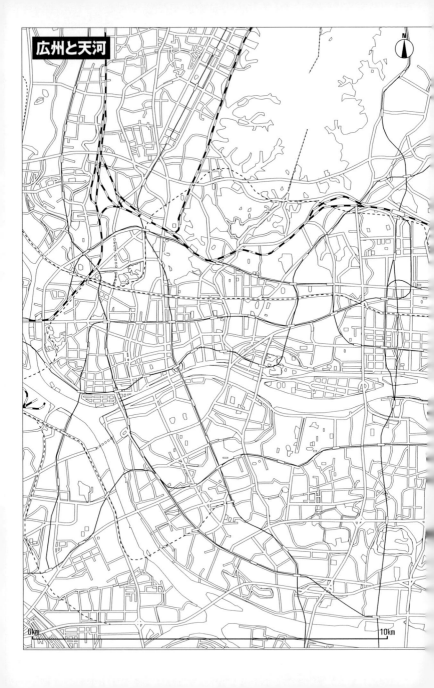

広州と天河

N

0km　　　　　　　　　　　　　　10km

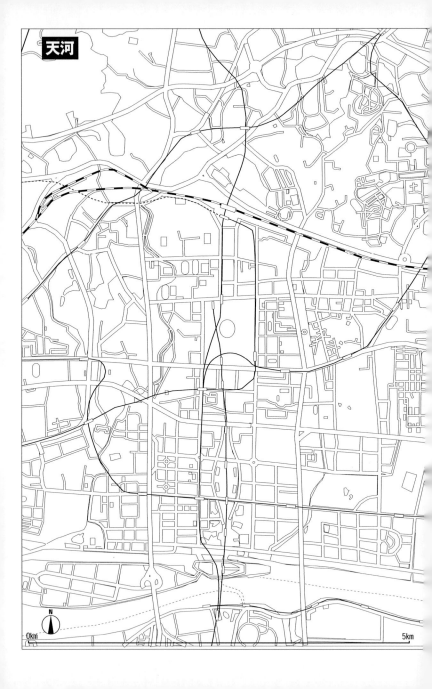

天河

N

0km 5km

広州東駅

N

0km   1km

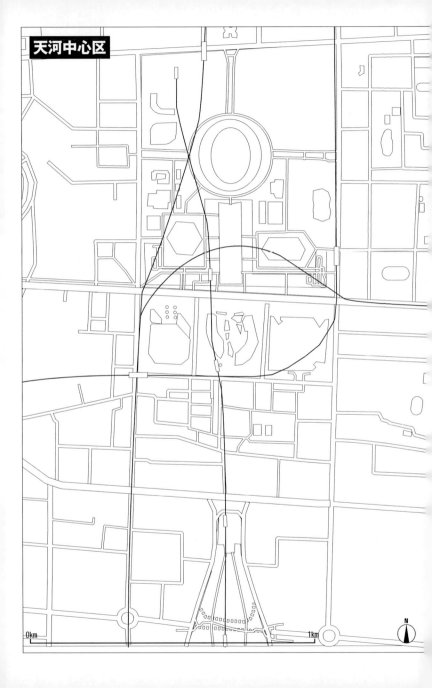

天河中心区

0km   1km

N

珠江新城

N

0km   2km

珠江新城拡大

0km   2km

N

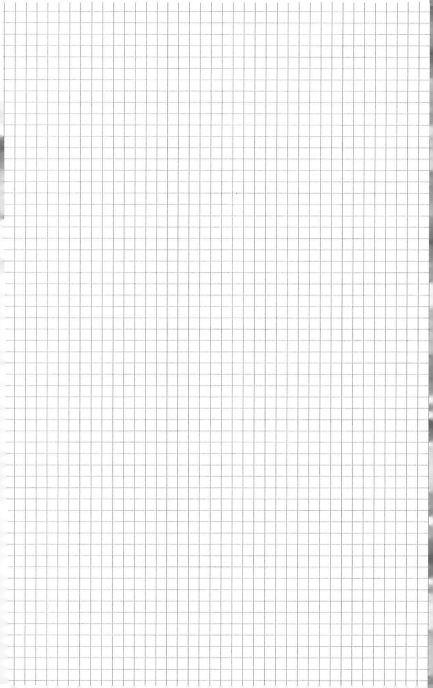

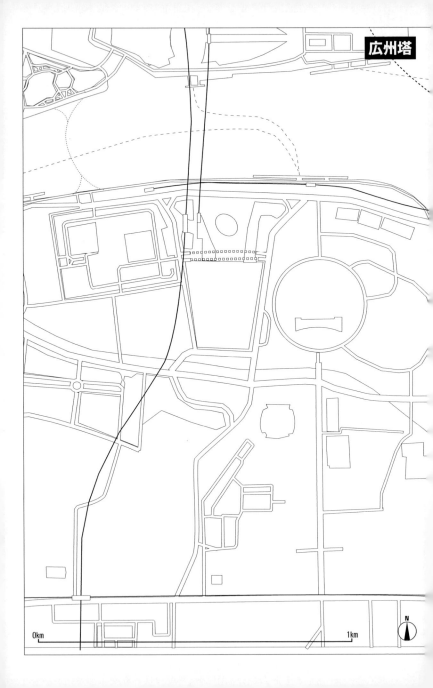

広州塔

0km 1km

N

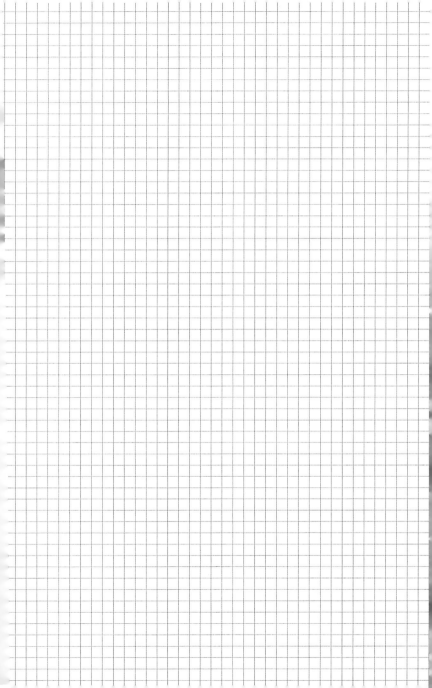

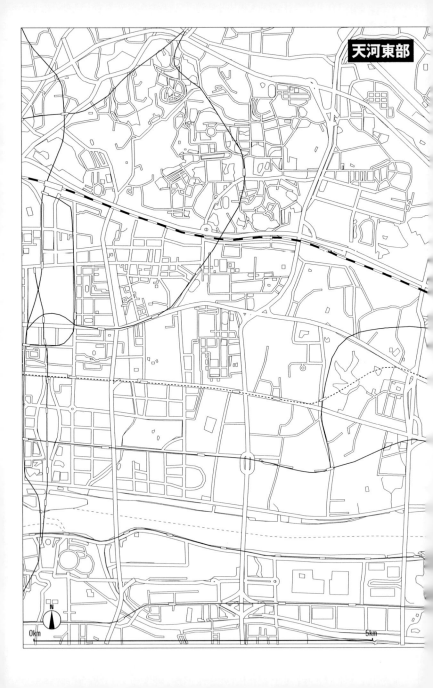

天河東部

0km　　　　　　　　　　　　　　　　　　　　　　　　　　5km

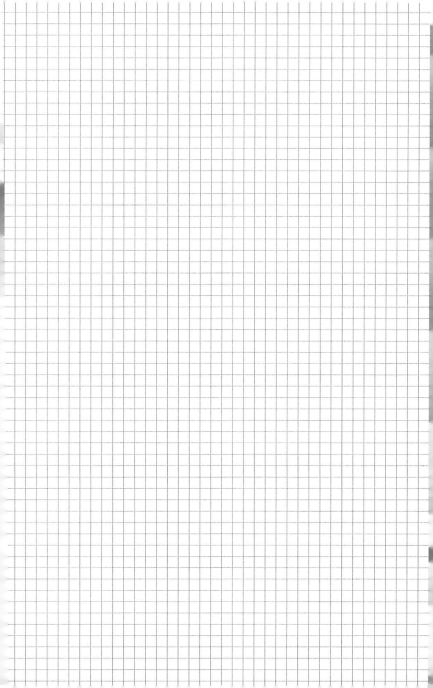

【車輪はつばさ】
南インドのアイラヴァテシュワラ寺院には
建築本体に車輪がついていて
寺院に乗った神さまが
人びとの想いを運ぶと言います

An amazing stone wheel of the Airavatesvara Temple
in the town of Darasuram, near Kumbakonam in the South India

まちごとチャイナ
広東省 004

広州天河と東山
南天に煌く「七彩摩天楼」
［モノクロノートブック版］

「アジア城市（まち）案内」制作委員会
まちごとパブリッシング
http://machigotopub.com

まちごとチャイナ
新版 広東省004広州天河と東山
〜南天に煌く「七彩摩天楼」

2021年 9月21日　発行

著　者　　「アジア城市（まち）案内」制作委員会
発行者　　赤松　耕次
発行所　　まちごとパブリッシング株式会社
　　　　　〒181-0013　東京都三鷹市下連雀4-4-36
　　　　　URL http://www.machigotopub.com/
発売元　　株式会社デジタルパブリッシングサービス
　　　　　〒162-0812　東京都新宿区西五軒町11-13
　　　　　清水ビル3F
印刷・製本　株式会社デジタルパブリッシングサービス
　　　　　URL http://www.d-pub.co.jp/

MP360